J'écris parce que
je chante mal

D1264277

Daniel Rondeau

J'écris parce que je chante mal

Québec (1969) Une grenouille mélancolique
fait des ronds dans l'eau de son étang.
Scénario prévisible, interprétation attachante,
nénufars en plastique.

H̵C

hamac-carnets

Les éditions du Septentrion remercient le Conseil des Arts du Canada et la Société de développement des entreprises culturelles du Québec (SODEC) pour le soutien accordé à leur programme d'édition, ainsi que le gouvernement du Québec pour son Programme de crédit d'impôt pour l'édition de livres. Nous reconnaissons également l'aide financière du gouvernement du Canada par l'entremise du Programme d'aide au développement de l'industrie de l'édition (PADIÉ) pour nos activités d'édition.

Direction littéraire: Éric Simard

Révision: Solange Deschênes

Illustration de la couverture: Steven Spazuk (www.spazuk.com)

Mise en pages et maquette de la couverture: Pierre-Louis Cauchon

Si vous désirez être tenu au courant des publications
de la collection HAMAC et des ÉDITIONS DU SEPTENTRION
vous pouvez nous écrire par courrier,
par courriel à sept@septentrion.qc.ca,
par télécopieur au 418 527-4978
ou consulter notre catalogue sur Internet:
www.hamac.qc.ca ou www.septentrion.qc.ca

Dépôt légal:
Bibliothèque et Archives
nationales du Québec, 2010
ISBN papier: 978-2-89448-607-8
ISBN PDF: 978-2-89664-564-0

Diffusion au Canada:
Diffusion Dimedia
539, boul. Lebeau
Saint-Laurent (Québec)
H4N 1S2

Ventes en Europe:
Distribution du Nouveau Monde
30, rue Gay-Lussac
75005 Paris, France

Membre de l'Association nationale des éditeurs de livres

Écrire un blogue relève beaucoup de l'exhibitionnisme anticipé.
C'est un peu comme faire un strip-tease dans le noir
et souhaiter que quelqu'un ouvre la lumière.

Je est un autre
Arthur Rimbaud

Le bonheur est une invention du diable
pour que les gens se rendent
compte qu'ils sont malheureux.

Ces corps qui flottent facilement

J'ai sauté tête première du bout du quai. La température de l'eau m'a à peine surpris. Je suis allé assez profondément pour sentir le poids de l'eau dans mes oreilles. Puis, j'ai regardé la surface. Par en dessous, comme je faisais depuis longtemps.

Des bulles remontaient doucement au travers des rayons du soleil. Je me suis demandé si les gens qui périssaient noyés voyaient aussi ce spectacle. Est-ce que cette beauté adoucissait la brûlure de l'eau qui emplit les poumons ? Combien de secondes s'écoulent avant que ne cesse la douleur ? Pendant combien de vies reste-t-on conscient ? À quel moment regrette-t-on notre geste ?

Pendant que je me posais ces questions, mon corps remontait doucement à la surface, sans coups de pied, sans mouvements de bras, malgré moi.

La faille

Tous les soirs, Sophie regardait le plafond. Parfois de bonheur, parfois d'extase, rarement d'ennui. Elle s'imaginait tout le vent, toute la pluie, tout le froid duquel elle était protégée depuis qu'elle dormait avec son amoureux à ses côtés. Un soir, elle remarqua une fissure, petite, de rien du tout. Sophie la montra à son copain qui ne vit rien. N'empêche que l'entaille y était, que le plâtre de leur chambre à coucher se lézardait imperceptiblement.

Les années passèrent et toute vibration, chaque passage de poids lourds, chaque iceberg sur la coque allongeait la fissure, approfondissait la blessure. Les retouches esthétiques ne firent qu'un temps, et le jour vint où le gypse sec commença à s'effriter. Chaque fois qu'ils se couchaient, ils retrouvaient des morceaux sur l'oreiller. Ils eurent beau passer l'aspirateur, secouer les draps, il restait toujours une fine poussière qui s'accumulait entre les lèvres et sous les paupières. Sophie s'impatienta, demanda à son copain de faire quelque chose, ce à quoi il répondit qu'il avait bien assez de réparer le plafond des autres. Comme un dentiste ne peut se plomber les dents ou un juge se juger, un plâtrier ne peut réparer les fêlures qui l'affligent.

La poussière de plâtre, inconfortable, finit par les pousser hors du lit, faire dormir le copain sur le divan, alors que Sophie, de son côté, ne dormait plus depuis longtemps. Ce ne fut pas long avant que la pièce ne soit lézardée, la maison en entier, et les courants d'air donnaient des frissons. Exténué par les froids, éreinté par les mauvais ressorts, le copain choisit de partir, le pas lourd, le regard en rase-mottes.

Le soir de son départ, les oreilles pleines du claquement de la porte, Sophie compta les gouffres. Et entre deux pleurs, dans une fissure devenue faille, elle jura apercevoir la lueur d'un ciel sans nuage.

Le roi se meurt

Comme on annonçait un orage et qu'on présentait un match de hockey primordial à la survie humaine à la télé, il n'y avait presque personne à L'Asile. Ça m'allait. À peine m'étais-je installé au comptoir que je me suis commandé un Macallan. Alexandre m'en a servi un. La vie savait parfois se montrer simple.

J'ai souri en signe de remerciement. J'ai sorti mon petit verre à moutarde de ma poche de veste et j'y ai transvasé le scotch sous le regard faussement détaché d'Alexandre. Mon petit verre à motif de jeu de cartes, le seul survivant de ma dernière rupture, me servait de tasse, de coupe, de gobelet et de flûte. Alexandre attendait ces explications depuis des années, sans jamais y faire allusion. Il ne disait rien non plus au sujet du grille-pain chromé déposé sur le comptoir. Alexandre savait attendre que les huîtres s'ouvrent d'elles-mêmes. Peut-être s'en foutait-il tout simplement.

Pour meubler notre conversation, Alexandre s'est aussi servi un verre. Nous avons porté un toast silencieux puis j'ai pris une gorgée. Toute petite. Un goût caramélisé a envahi mon palais.

— C'est un petit prince, ce scotch, a dit Alexandre après avoir inspiré entre ses dents.

Il s'est allumé une Gauloise d'un geste nonchalant, en regardant nulle part et partout d'un air détaché auquel il ne fallait pas se fier ; il était aux aguets tel un sprinteur attendant le signal de départ. Je suis resté muet. J'avais un jour compris que moins j'en disais, moins on pouvait en retenir contre moi. Parler signifiait trop souvent traduire sa pensée. *Tradutore, tradittore*. Je préférais me faire oublier dans un coin et écouter. J'avouerais que parfois je n'écoutais même pas.

Il a pris une autre bouffée de sa cigarette. Je n'ai jamais su comment il faisait pour aspirer par le nez la fumée qu'il expirait par la bouche. J'ai pris une deuxième gorgée de scotch et je suis sorti de mon mutisme.

— Il paraît que, quelque part en Afrique, on dit d'un fumeur qu'il « boit une cigarette ».

Alexandre a souri et a avalé un nuage qu'il a retenu dans ses poumons quelques secondes. Sa façon d'apprécier un dialogue qui démarrait enfin.

Toujours agréable, Alexandre. Simple sans être simpliste, complexe sans être compliqué. Début trentaine, grand, pas l'ombre d'une poignée d'amour, les cheveux savamment négligés. La majorité des femmes lui accordaient un charme qui semblait pouvoir toutes les séduire. Pourtant, il aimait sa copine comme s'il l'avait rencontrée la semaine précédente. Pas un décolleté, pas un regard d'alcool, de désir ou de trois heures du matin n'avait réussi à l'en détourner. Il était de cette race fidèle. Pas fidèle comme un chien qui s'attache au premier hideux qui le flatte, mais fidèle comme un laid. Ces laids qui savent que l'amour dont ils profitent ne tient pas à de l'éphémère. Ces laids qui, en échange, aiment doucement, sincèrement, sans crainte d'effrayer le bonheur posé sur leur main.

Je n'appartenais pas au même monde. J'avais les phéromones paresseuses et je n'étais fidèle qu'à mon passé. De l'amour, je ne connaissais que de rares et fugaces papillons. Le lendemain de mes rencontres, en me glissant hors des draps, je respirais, indifférent, les réminiscences de la femme de la veille. Ces aventures ont rapidement pris l'habitude de se terminer avec Alexandre, autour d'un verre de scotch.

Lentement, sûrement, discrètement, L'Asile est devenu mon repaire, une forteresse à l'abri du temps et des sentiments, et Alexandre, un psychothérapeute à indemnité liquide que je consultais sans rendez-vous, une oreille amicale qui savait attendre les réponses, comme ce soir où, juste avant de faire mon tour au bar, j'avais volé un grille-pain tout chromé à la quincaillerie. Pour rien. Parce qu'une voix comme celle du nain de *Fantasy Island* m'a soufflé à l'oreille : « Le toasteur ! Le toasteur ! »

J'avais déposé l'appareil sur le bar et je m'étais un peu examiné dans le chrome en attendant qu'Alexandre se libère. J'avais un gros nez.

Malgré le caractère biscornu de mon trophée de chasse, Alexandre n'y a pas fait allusion. Il m'a plutôt proposé une partie d'échecs, comme le voulait notre rituel quand il y avait moins de dix clients.

On a tiré les couleurs : main droite, pion blanc, j'ouvrais la marche. Les premiers coups ont dégringolé, entrecoupés des commandes de bières des rares buveurs. Ensuite, j'ai ralenti la cadence... Ma réflexion prenait trop de temps au goût d'Alexandre et il a entrepris de me déconcentrer par un discours au ton professoral trop appuyé :

— Tu dois te laisser guider par ton instinct. Il ne faut pas trop réfléchir, sinon tu risques de m'octroyer de fausses intentions, d'y croire et de nager dans les regrets.

Il s'est allumé une autre cigarette avec le mégot de sa première et a continué :

— Tu savais que réfléchir, ça pouvait signifier « fléchir à nouveau » ? Penses-y.

C'était du grand n'importe quoi, mais ça me déconcentrait suffisamment pour nuire à mon jeu. Malgré le fait que l'attention d'Alexandre jouait sur plus d'un tableau, je ne savais pas imposer mon rythme. Le métier de barman devait constituer un bon entraînement pour les échecs. Tous les soirs, Alexandre devait pousser les pions, protéger les reines, endurer les rois.

J'ai finalement avancé un fou menaçant, ramenant mon opposant à la partie en cours.

— Beau coup, Kasparov, a-t-il lancé en répondant du tac au tac avec un pion anodin.

Je me suis mis à rire :

— Je suis Fisher, rien de moins. Selon moi, il reste le meilleur, malgré sa retraite.

Je ne connaissais que très vaguement l'histoire de ce grand maître américain qui s'était retiré de toute compétition pour d'obscures raisons. J'ai avancé mon cavalier en E4.

— Ouain, ben, on ne le saura jamais, a-t-il mâchonné sur son cure-dent, concentré sur l'échiquier. Ce n'est pas en se retirant qu'on prouve quoi que ce soit.

Il a bougé un autre pion et je lui ai pris un cavalier. J'ai retiré la pièce de l'échiquier et j'ai lancé à la blague :

— Je t'avertis, ce n'est pas la dernière que je te prends.

En s'essuyant le menton du revers de la main, tout sourire, il a rétorqué :

— Je sais bien que j'ai un cleptomane comme adversaire. Mais je crois que tu en perds ; samedi dernier, je t'ai vu partir avec une belle brune assise au bout du bar et, aujourd'hui, tu m'arrives avec un toasteur.

Il avait le regard complice. J'ai souri aussi. En pointant le chrome de mon nouveau Phillips, j'ai ajouté :

— Ouaip. Il est joli, hein ? Mais c'est un peu con, j'en ai déjà deux à la maison.

— T'as toujours été porté sur les toasts.

Le verre d'Alex a frappé mon verre à moutarde côté cœur. J'ai ri même si la blague n'était pas si drôle.

— Conseil d'ami : tu devrais voler un verre à scotch ! Ton verre à moutarde me semble, comment dire…, peu adapté à son usage et d'une autre classe sociale. Sans parler de l'air que ça te donne. Mon cavalier prend ta tour.

Je ne l'avais pas vu venir. Un rapide coup d'œil m'a fait comprendre que l'étau se resserrait autour de mon roi. L'air faussement vexé, j'ai fait semblant de maîtriser la situation :

— Quoi, l'air que mon verre me donne ? Dis plutôt que tu as peur qu'il fasse fuir ta clientèle *m'as-tu-vu* faussement friquée. Ce verre n'est peut-être pas adapté à l'usage, comme tu le dis, mais je l'aime d'amour. C'est un porte-bonheur.

J'ai souri en prenant une gorgée, puis j'ai ajouté :

— C'est pas pire que ces saletés de petits chiens à poils longs que la grue d'hier soir portait dans son sac à main !

J'ai avancé une tour qui aboyait plus fort qu'elle ne pouvait mordre, sans véritable stratégie. C'était ma tactique anti-Deep Blue : agir en tout illogisme pour que l'adversaire se triture les méninges à comprendre la stratégie de mon absence de stratégie. Si c'était efficace contre un ordinateur, ce devait l'être contre un barman. Alexandre changea de sujet, mais juste un peu :

— Ça fait longtemps que tu es seul ?

On se disait les choses à moitié mais nos discussions obtenaient tout de même la note de passage.

— Je ne sais plus, six ans. Sept peut-être. Je ne sais plus. J'ai arrêté de compter. Anyway, je m'en fous.

Mais je ne m'en foutais pas. Ça faisait six ans, huit mois et trois jours. J'ai laissé passer un ange avant de continuer.

— C'est idiot : j'ai quarante ans et je ne peux pas l'oublier, cette fille. Je suis comme un vétéran de guerre qui, sa vie durant, quêtera sur la rue, incapable de se refaire une vie normale après tout ce qu'il a vécu. Cette fille, c'est mon Viêt Nam.

J'ai soupiré. Tout revenait toujours à Ariane. Pourtant, ce que j'aimais de cette femme était devenu une idéalisation, plus près du concept que de la réalité, qui nourrissait mon imaginaire amoureux. J'essayais vraiment de l'oublier... Tel un pompier qui a pour seul désir d'éteindre un feu dont il a besoin, sans lequel il s'ennuie à la caserne. J'en étais venu à entretenir ce que je voulais étouffer.

J'ai avancé mon fou en C5. Légère pression sur les pions devant son roi. J'ai poursuivi :

— Il n'y a pas une semaine où je ne me dis pas au moins dix fois que j'aimerais qu'elle me voie faire tel ou tel truc. Ridicule.

Alexandre a pris mon fou avec sa tour, pas gêné le moins du monde de prendre une pièce à un vétéran de la guerre du Viêt Nam. Après un court silence, il a demandé :

— Et pourquoi tu voudrais qu'elle te voie ?

Je l'ai fusillé du regard. Il est resté debout, sans broncher.

— Ben... Qu'elle me voie pour... Heu... Aaahhh... Je sais pas, ai-je répondu. Pour rien. Pour tout. Pour mes nouveaux amis, mon nouvel appartement, ma nouvelle vie ! Juste qu'elle voie que je ne suis pas un crétin.

Je lui ai pris un pion qu'il semblait avoir oublié en A6. Prise inutile, mais je voulais lui ravir une pièce, n'importe laquelle.

— Et qu'est-ce qui te dit que ton ex te croit crétin ?

J'ai levé les yeux de l'échiquier et j'ai regardé Alexandre, l'air interrogateur.

— Tu peux pas dire juste hum-hum entre mes phrases, montrer un peu d'empathie, quelque chose... Tu n'es pas un psy, tu es barman! Sois donc un barman normal deux minutes.

— Normal, normal... Le silence n'est pas nécessairement de l'empathie. J'adapte la manifestation de mon empathie selon la clientèle.

Il a pris une pause, puis a poursuivi:

— Après dix ans comme barman, on devrait obtenir un doctorat *honoris causa* en psychologie, en sociologie et en interprétation du sanskrit oral... Crois-moi, je suis nettement sous-payé quand on tient compte de mes compétences! Et comme pour un psy, ma clientèle montre une fidélité irréprochable.

— Mon ex ne devait sûrement pas être ta cliente!

Il a ri un peu. Pas moi. Il a aligné sa tour et sa dame. Ça ne sentait pas bon. Je devais réagir vite, ce que j'ai fait en plaquant une tour devant mon roi. Il a continué:

— Tout est question d'ivresse, vieux.

Je ne savais s'il commentait le jeu, l'amour ou ma vie en général. Je l'ai regardé, la tête baissée, les yeux dans les sourcils. En les reposant sur l'échiquier, j'ai soupiré:

— Tu as raison. Pour ne pas me rendre compte qu'elle me trompait avec mes amis, je devais être pas mal saoul.

Il a ri encore. Cette fois-ci, je me suis trouvé un peu plus comique. Sa dame a encore bougé et je n'ai pu que constater ma défaite. Échec et mat. Encore une fois. Alexandre, le sourire en coin, a frappé son verre contre le mien resté sur le comptoir.

— Je devrais avoir un doctorat en échecs en plus.

Camouflant mal sa fierté, il est parti servir une table de pions avec le sourire du vainqueur. Ils ont commandé de nombreux shooters surmontés de crème fouettée qu'on boit sans les mains. Pas des pions du coin. J'ai pris une gorgée de Macallan. Ça m'a fait une petite douceur en dedans. Je devais me rendre à l'évidence : j'allais mourir noyé dans le fond de mon verre à moutarde. Lentement. Mais, pour paraphraser Courteline, je m'en foutais, je n'étais pas pressé.

Il était trois heures moins vingt. Encore quelques gorgées et je rentrerais. Je laisserais le grille-pain comme pourboire à Alexandre.

J'ai regardé autour de moi. J'ai souri. Pour les vingt prochaines minutes, j'étais encore le roi.

Mémoire fragmentée

Le corps de l'homme gît par terre, assis contre le mur de sa chambre. Près de lui, une pluie de souvenirs jonchent le sol : des photos d'elle, des photos d'eux, des souvenirs en gouttes salées, une enveloppe remplie de mots trop durs pour être prononcés et d'autres missives jamais envoyées, lettres mortes qui ne se rendront pas à leurs destinataires, du moins pas en mains propres. L'homme repose par terre. Enfin. Sur le mur derrière sa tête fane une énorme fleur rouge, alors que dans sa main s'attiédit un pistolet lourd comme un soupir, cruel outil à creuser des trous de mémoire, des trous par où les souvenirs coulent lentement vers l'oubli. À cause de la gravité.

Duel sur l'autoroute

Ce matin, je roulais à 120 vers le travail. Rien ne pressait pourtant, mais la moto semblait avoir trouvé l'hiver très long.

Je suivais depuis quelques moments une de ces voitures-camions qu'on excuse par l'arrivée d'un enfant. Dans cette boîte de tôle six cylindres, il y avait une gamine au sourire troué qui me regardait avec fascination. Je lui ai fait un salut de la main. Elle n'a pas répondu. Petite conne. Je lui ai donc fait une grimace. Elle s'est cachée jusqu'aux yeux derrière le dossier de la banquette, puis, sans prévenir, elle m'a tiré une balle avec son index. Bang !

Merde ! J'étais touché à l'épaule droite ! Je ne pouvais laisser cette scélérate impunie. Il n'était pas vrai qu'une jeune gosse de banlieue aurait si aisément ma peau. Malgré la douleur, malgré le sang que je laissais par litres sur l'autoroute, je me suis penché sur mon réservoir. J'ai flatté les flancs de ma vaillante Honda puis j'ai accéléré. Arrivé à la hauteur de la camionnette, j'ai visé, un œil sur la route, un autre vers la cible. Bang ! Bang ! La fenêtre arrière a éclaté mais la petite peste a ri, toujours indemne. Elle a riposté. Ma moto en a pris une dans le radiateur. Blessée, la mécanique a boucané aussitôt.

Pour fuir, l'ennemi a signalé son intention de prendre la prochaine sortie. Je devais faire vite sinon je les perdrais. J'ai visé minutieusement. Un buisson sec a traversé l'autoroute en roulant. *Close up* sur mon œil à moitié fermé. Mon doigt tremblant sur la gâchette. Son plaintif d'harmonica. Bang !

Touché! La sœur des Dalton a laissé tomber son arme puis a mimé une mauvaise agonie pendant cinq bonnes secondes avant de disparaître derrière le banc du chauffeur. J'ai vu son père, le regard menaçant dans le rétroviseur, lui ordonner de se calmer. Puis, comme la camionnette s'éloignait dans la voie qui menait à un boulevard quelconque, mon ennemie m'a fait au revoir de la main en riant. Salut cowgirl! Je lui ai juré que la prochaine fois je viserais son père.

Ce matin, pendant mon cours, j'ai passé mon temps à me masser l'épaule en souriant. Il y a des blessures qui font du bien.

Un mercredi midi à la taverne du coin

Il y a Tony, l'aubergiste un peu *moody*, qui appelle tout le monde capitaine avec un accent italien qu'il a lui même inventé, et qui soustrait toujours dix pour cent de l'ardoise des amis, parce que c'est comme ça. Il y a Pierre, qui a un nez rouge et enflé et plein de trous, un nez impossible comme dans les bandes dessinées de mon enfance et qu'on disait que ça se peut pas, mais qui bat tout le monde au billard en jouant une main dans le dos. Il y a Yvon, qui boîte depuis un accident de travail, et depuis il boit, toujours assis sur le même banc. Il y a Fabrice, le Français qui est Québécois depuis quarante-huit ans, cinq mois et trois jours aujourd'hui – on le saura –, qui fume des bouts de manche à balai qui sentent une Afrique où tout le monde sait bien qu'il n'a jamais mis les pieds malgré ce qu'il peut raconter. Il y a Mimi, qui a perdu beaucoup de sa beauté depuis qu'elle a pris son premier verre ici il y a de cela deux ou trois vies, mais qui sait encore charmer par sa voix de taverne, la voix la plus grave de la bande. Il y a le petit Raymond qui s'endort immanquablement au cinquième pichet. Il y a le gros Bill *Bud-lightyear*, qui ne parle jamais sauf pour dire « Pis, à part de d'ça ? » Il y a Pat, qu'on appelle Rainman parce qu'il connaît toutes les statistiques de tous les sports professionnels nord-américains depuis 1450. Il est le seul à pouvoir obtenir la pointe de tarte rose dès la première question à *Quelques arpents de pièges*. Il y a Sperm, dont on n'a jamais su le vrai nom et qui refuse de dire d'où vient son surnom. Il y a Disco-Dan, qui fait un jeu de mots avec n'importe quoi et son chien, mais surtout avec n'importe quoi. Il a gardé les cheveux et le médaillon qui lui ont apporté tant de succès entre 1977 et 1980. Et il y a moi, qui ne changerais cette bande de *has been* pour rien au monde, car ils sont mes amis.

— Tu pourrais rouler moins vite !?

Elle l'a crié trois fois avant que je ne la comprenne. Il fallait vraiment que je fasse réparer mes foutus silencieux. Il faut avouer que le casque de moto et le déplacement d'air n'aidaient en rien. J'ai beuglé en retour, par-dessus mon épaule.

— Pourquoi ?

— On n'est pas pressés.

Pas pressés. Elle parlait pour elle. Des semaines que j'attendais qu'elle revienne de ce foutu voyage. Je m'étais ennuyé comme je ne l'aurais cru possible. Un chameau qui attend le soleil pendant un déluge.

— Ben moi, oui, ai-je marmonné.

C'est vrai qu'on roulait à près de 150 à l'heure, ce que je ne faisais jamais quand je n'étais pas seul sur la moto. Ariane m'avait manqué juste assez pour prendre le risque de rouler à près de 200 en allant la chercher à l'aéroport. Je me retenais pour ne pas faire la même chose au retour. Ma vieille Yamaha roulait à la limite de ses capacités réduites par sa charge. J'ai relâché un peu la poignée. La compression a fait son œuvre et nous nous sommes retrouvés à 100 km/h. Sur le tronçon d'autoroute à moins de deux kilomètres de chez nous, un bouchon de circulation s'est formé. En fait, je ne sais pas pourquoi je dis s'est formé, le bouchon ne se déformait jamais.

J'ai fait un effort surhumain pour ne pas *slalomer* entre les voitures et rouler sur l'accotement. On s'est totalement arrêté. On avait un insigne BMW en pleine face et un énorme camion

Volvo dans le dos. On était le Danemark des véhicules. Il faisait un peu chaud pour la mi-avril.

— Ouf! Mon sac à dos m'arrachait les épaules. Pourquoi tu roulais si vite?

— Pour arriver plus vite, mon enfant, ai-je dit à la blague. Pour te regarder plus vite, pour te faire l'amour plus vite... M'enfin, tu comprends... Ça fait cinq semaines que j'attends ton retour et là je t'ai dans le dos. C'est légèrement frustrant...

À ce moment, je me suis rendu compte qu'Ariane ne me tenait pas par la taille comme lors de nos promenades habituelles. Elle ne m'avait pas donné non plus le coup de casque de la chance avant de partir, le coup de « rien ne peut nous arriver ». Les dernières semaines avaient été trop longues. Il y avait eu suffisamment de temps pour oublier quelques habitudes.

Le bouchon s'est soudainement dissous, comme si rien ne s'était passé. Pourtant, il y avait bien eu un accident quelque part. Avec blessés. Peut-être même des décès. Je n'ai rien vu. Les morts ne sont jamais là où l'on pense.

On a fini le trajet sans un mot. Il faisait beau. Pas un souffle de vent, pas un nuage paresseux. Que du soleil qui frappait de toutes ses forces. Je ne pouvais savoir que je roulais dans l'œil de l'ouragan.

Monstres

Il fut une époque où chaque soir, au coucher, je sautais dans le lit, avec un élan de gymnaste depuis la porte de la chambre. Le doigt sur l'interrupteur, j'essayais de ne pas penser à ce qu'il arriverait si jamais j'avais le malheur de ne pas être assez rapide ou de mettre le pied à portée du monstre qui se cachait sous le lit. Des sueurs froides dans le dos, je rêvais d'être un super héros, de voler plus vite que la lumière et d'arriver sous les draps avant qu'elle ne soit éteinte. Mais j'étais enfant et fragilement humain.

Une fois dans le lit, je me couchais dans cet espace restreint en plein centre du matelas, espace que j'espérais hors de portée des tentacules du monstre qui, lui, ne sortait jamais de sa tanière. Puis j'essayais de m'endormir, les couvertures jusqu'aux yeux comme unique rempart jusqu'au lendemain. Certains soirs, je pourrais le jurer, je l'entendais respirer. Je l'imaginais sourire, attendant patiemment l'apparition d'un de mes mollets, et il susurrait « Il n'y a rien sous le lit. Laisse pendre ton bras, tu verras… Juste deux secondes… » Cet être vil tentait d'attirer les âmes pures pour les consommer comme du maïs en épi. Il était gluant, cruel et sans pitié, comme le sont tous les monstres sous tous les lits de tous les enfants du monde. Cette menace constante finit par développer chez moi une vessie en acier et un sentiment de soulagement qu'il m'arrive encore de ressentir quand je vois l'aurore poindre. Car les monstres ne se dévoilent jamais au grand jour.

Mes tactiques poltronnes furent sans doute efficaces puisque jamais une monstrueuse papille ne m'a goûté, ne serait-ce qu'un orteil.

Bien qu'avec le temps le souvenir de ce monstre se soit un peu émoussé, il m'arrive encore aujourd'hui d'y croire l'instant d'un soupir malgré mon bon sens d'adulte, malgré l'indécrottable incrédulité qu'apporte la maturité, malgré tout. Je me dis parfois que les monstres sous les lits ne disparaissent jamais vraiment, qu'ils nous suivent comme une tache de naissance, et nous écoutent, nous épient, nous voient devenir adultes. Et qu'un jour, à force de nous observer, redoutant à leur tour le monstre qu'est devenu celui qui ronfle sur l'oreiller au-dessus d'eux, ce sont eux qui s'endorment inquiets dans ce petit espace au centre du lit.

Prêt à emporter

L e mercredi soir, devant son reflet entre une photo déjà jaunie de son feu mari et une boîte à bijoux qui ne sait plus jouer de la musique, ma voisine Yvette se pomponne pour sa soirée de bingo; une boîte d'épingles à cheveux, un tube de rouge à lèvres écarlate, une tasse de fond de teint deux tons trop pâle, un demi-litre de parfum bon marché probablement acheté en vrac.

Chaque fois, quand je vois Yvette partir en taxi pour sa soirée de cartes à pitons, je me dis que, si elle meurt dans la soirée, c'est le croque-mort qui sera content de voir arriver du prêt-à-emporter, un peu comme un bûcheron qui découvre une forêt de bûches. Les soirs où je la croise, je lui dis qu'elle embaume; ça lui fait plaisir et, dans ma barbe, je me trouve très drôle.

Ce mercredi, Yvette a gagné 247 $ au bingo. C'est ce qu'elle m'a fièrement raconté en revenant chez elle. Elle se considérait pas mal chanceuse. Puis elle a dû me quitter parce que ses jambes lui faisaient souffrir le martyre. Dans un sourire écarlate, elle m'a dit bonsoir avant de refermer sur elle la porte de son deux et demi où le téléphone, comme la sonnette, ne résonne jamais.

Petits coups sur la ligne

Au début, on s'assoit sur le bureau et on parle de passions. Les yeux collégiaux s'ouvrent, neufs mais pourtant usés, plus intrigués par la fougue que par le contenu. On ne se rend pas compte tout de suite qu'il mouillasse, que déjà quelques gouttes minuscules tombent sur notre langue, une bruine de froide lucidité adolescente:

— C'est bien beau, mais à quoi ça sert?

— On peut faire de l'argent avec ça?

— Ça compte-tu?

Alors on renouvelle le contenant, on peaufine la métaphore, lisse la blague, mais on ne fait que modifier la mise en scène d'une pièce dont le propos n'intéresse personne. C'est ainsi que nos passions deviennent répétitions et que, même sans rides, on devient aussi usés que les vieux profs de nos débuts, ces vieux auxquels on s'était pourtant juré de ne jamais ressembler.

On simplifie les concepts pour perdre le moins de gens possible, on accepte que les étudiants comprennent à moitié, on se dit que 65% n'est pas si mal et on se surprend à bénir des temps anciens pourtant identiques, comme si on était meilleurs que ça.

Puis, alors qu'on ne l'attend plus, il y a cet étudiant qui, sans mot dire, boit nos paroles, pose des questions pertinentes, finit ses travaux en moins de deux et, pour attendre le troupeau, en fait trois fois plus pour rien, pour le plaisir. Il n'est même pas boutonneux et a les cheveux propres en plus. Et, entre deux répétitions, alors que personne ne comprend rien à si peu, il nous souffle, un vague sourire aux lèvres et une petite étoile au fond de l'œil, que, visiblement, la matière dont on le nourrit manque de substance et qu'il aimerait bien en savoir plus.

La ligne se courbe, le flotteur rouge vient de disparaître sous la surface : ça mord !

Reste à ramener lentement vers soi, à tourner le moulinet sans rien brusquer afin de ne pas briser ce fil ténu entre la matière et lui.

Puis on se dit, malgré la pluie, qu'il y a des cours qu'il est bien de faire.

Isolement

Fabien ne sait plus à quel âge il a cessé de diluer les choses. Il lui a toujours paru incongru de vouloir goûter aux plats des amis lors d'un repas, comme si ça enlevait du plaisir à son repas. Il comparait cela à se brosser les dents entre deux biscuits ou à aller à Rome regarder un diaporama sur l'architecture chinoise. Chaque chose a son heure réservée. Après tout, si les médecins ne font entrer qu'un patient à la fois, il ne voyait pas pourquoi il devrait mélanger les saveurs quand il mangeait.

Enfant, il a rapidement cessé de mettre du lait dans son chocolat en poudre. Puis il a fait de même avec son café et ses céréales : un verre de lait à côté du bol. L'un, puis l'autre. Ensuite vinrent les pâtes sans sauce, les viandes sans légumes… Il ne détestait pas le lait ou les légumes, il préférait seulement déguster la vie par ingrédient isolé.

À l'âge de 20 ans, il suivait à la lettre le guide alimentaire canadien, sauf que chaque groupe alimentaire avait sa journée : viande - lundi, légumes - mardi, fruits - mercredi, produits laitiers - jeudi, céréales - vendredi, puis il recommençait. Le jour des fruits, jour qu'il préférait, Fabien les achetait d'un coup et les consommait dans la journée. Rien ne pourrissait jamais chez lui.

Tout cela était simple. Jusqu'à ce qu'il rencontre Marianne et son pâté chinois.

Amitiés, amours et autres mécaniques

Accoudés devant quelques pintes, Tristan, Jean et moi jasions d'huile et de tôle comme autant d'experts auto-proclamés. Motos, bazous, Formule Un, on avait des solutions pour tout. L'heure tardive et les vapeurs de houblon aidant, nos limpides verdicts mécaniques tranchaient de plus en plus sur la grandissante obscurité de notre terminologie. Vers les 2 h 30, il ne nous restait plus que quelques « trucs », « choses » et autres « patentes » pour nous exprimer. Avant de ne plus être capables de nous comprendre, on s'est tus quelques instants. Tristan a coupé le silence.

— Caroline et moi, on se sépare.

Mes mains réchauffaient ma bière. La vie avait une haleine de fin de soirée. Jean et moi avons eu une brève pensée pour nos fins du monde respectives. Tristan nous a tout résumé. Dans ses yeux, il y avait cette fierté qu'on attribue habituellement aux guerriers épuisés, aux rois déchus et aux forteresses anciennes, mais on pouvait entendre les termites qui rongeaient la charpente. Il y a pire que voir un ami pleurer ; il y a le voir sourire quand on sait qu'il pleure dès qu'on a le dos tourné.

Avant de mettre mon manteau, je l'ai serré dans mes bras. Un chat qui console un tigre.

— J't'aime b'en, Tristan, tu sais. Prends soin de toi.

En partant du bar, le taxi a laissé derrière lui un petit nuage bleu qui a mis quelques secondes à se dissiper. Sans doute du truc qui coulait de la patente.

À qui appartiennent les mots?

Aujourd'hui, la pluie m'a obligé au transport en commun. C'est le pas lourd que j'ai quitté la maison, laissant la moto sous sa toile protectrice. Debout dans l'autobus, j'essaie de ne pas penser que je n'en descends que dans une heure, peut-être plus si la voiture devant n'avance pas bientôt. L'autoroute est un stationnement, comme si personne n'avait jamais vu de pluie de sa vie.

Autour de moi, les gens affichent tous le même air maussade. À ma gauche, une superbe femme noire aux yeux bridés. La sonnerie de son portable se veut le thème de la *Soirée du hockey*, version Casio. Ça ne s'invente pas. À ma droite, une jeune gothique se tient debout sur sa cape. Derrière elle, un gringalet de neuf pieds arbore une barbe à quatre poils. Il est vêtu de feuilles d'érable, question de me rappeler que je suis en territoire étranger : une feuille d'érable sur la casquette, une autre avec un castor sur une jambe de son pantalon, un drapeau du Canada sur son sac à dos, un autre unifolié plus petit mais pas moins discret sur sa bretelle droite, toute cette démonstration de patriotisme autour d'un t-shirt sur lequel on peut lire Cozumel, Mexico. Je n'y suis jamais allé et j'en ai de moins en moins le goût. Le gars a cet air idiot qu'on a quand on est dans la lune. J'aurais pourtant aimé aller à Cozumel.

L'ennui m'assaille et je choisis de lire un exemplaire du journal *Métro* qui traîne. Tout ce que je dois savoir en moins de 30 secondes, top chrono. De toutes les nouvelles du monde, bonnes et mauvaises, c'est le blanchissage de Brodeur qui fait la une. L'autobus n'avance pas d'un poil. L'humain non plus.

Je tourne la page. Je plonge dans une série de nouvelles qui tiennent en peu de lignes et en encore moins de vocabulaire.

L'homme derrière moi se penche. Il ne peut faire autrement que de lire un peu, furtivement. Mais je le sais, je le sens, et je me tourne légèrement pour protéger mon butin.

Étrange cette impression qu'on nous vole quand quelqu'un lit le journal par-dessus notre épaule.

Martine est célibataire depuis longtemps. Depuis sa naissance elle dira, mais elle exagère toujours un peu. Kevin, lui, est le gars parfait pour elle. Cependant, Martine et Kevin ne se connaissent pas, ce qui n'est rien pour aider quoi que ce soit.

Martine a croisé Kevin une fois: un samedi, à une des épiceries géantes de leur banlieue. Lui, il avait cessé de pousser son minuscule chariot plein de boîtes géantes quand il a vu Martine marcher au ralenti vers lui dans l'allée des conserves. Au moment où elle l'a regardé, il a rougi comme un enfant. Kevin la trouvait vachement belle à travers ses cheveux en bataille. Martine le trouvait vachement mal habillé avec ses chaussures sales. Puis elle a hésité entre la mayo légère et la mayo ordinaire avant de prendre de la sauce à salade, comme d'habitude. De plus, le pot de deux litres était en solde pour trois dollars. Tout heureuse de l'aubaine inattendue, Martine a continué son marché. Kevin aussi, après avoir retrouvé ses esprits.

Voilà.

Comme quoi le bonheur peut vous filer sous le nez quand on s'attend à ce qu'il soit bien sapé même les samedis matin.

Mince

La voisine du haut a le pied lourd. Elle marche du talon assuré de celle qui sait où elle va. Pourtant elle va de la cuisine au salon, du salon à la cuisine, et ce, sans arrêt, 28 heures par jour. Ma chambre est sous sa cuisine et il est trois heures du matin, c'est dire si je l'entends marcher.

En bas, mon voisin rentre de la taverne. Sa femme l'engueule vertement. Face à sa matrone, la plaidoirie du pleutre se limite à un bégaiement de deux ou trois syllabes inintelligibles. Il se défend comme il peut mais, à ce que j'entends, il ne peut pas beaucoup. Elle lève le ton et finit par le lancer dans le mur. Il crie. Elle recommence. Je signale le 911 sans ouvrir la lumière. Quand le policier entend mon nom, il me demande comment ça va, si c'est la commande habituelle. Je lui dis que c'est reparti comme en 40, que c'est à nouveau «une grosse patate avec une p'tite bière *flat*». Il soupire, mais je devine un sourire ; ça l'amuse de venir visiter mes voisins d'en bas. La police arrive quelques minutes plus tard. Au départ des flics, la grosse matrone frappe au plafond avec son balai en me criant de me mêler de mes affaires. Il est 3 h 45.

Dans la chambre contiguë à la mienne, mon voisin érotomane baise tous ceux qui lui tombent sous la main. Cette nuit, c'est un transsexuel que je devine un peu moche. Après que mon voisin eut joui sans discrétion, vient le tour du mocheton de se faire pomper. Ensuite, les deux discutent de lubrifiants, d'hormones, de thérapie. De mon lit, je pourrais participer à la discussion sans lever la voix. J'ai déjà évalué à deux centimètres l'épaisseur du carton qui compose mes murs. Je réévalue le tout à la baisse pour arriver à un centimètre, couches de latex incluses.

J'ai averti mes voisins, pourtant. Dix ou vingt fois, je ne sais plus. Tous ces pourparlers ne m'ont laissé qu'une terrible envie d'homicide. Alors je ronge mon frein, je porte des bouchons, mais je sais bien qu'un jour je serai au bout du rouleau.

Pendant que la matrone du bas reprend ses corrections là où elle les avait laissées, la voisine du haut, dont la cuisine est toujours au-dessus de ma chambre, décide de se faire à manger pour apaiser une fringale de 4 h du matin. Elle prépare je ne sais trop quoi, mais elle tranche des trucs assez durs, des carottes en bois si je me fie aux coups de hache sur le comptoir, et elle échappe sa planche à découper sur le plancher. Trois fois.

À 4 h 15, bien qu'en bas la voisine doit avoir assommé son imbibé, et qu'à côté ils se sont tus après avoir convenu que l'opération attendrait encore quelque temps, je ne dors toujours pas. La voisine du haut pratique un pas de danse au son d'une musique ringarde. Je cogne au plafond à mon tour. Elle frappe le plancher du talon. Si je sors de cette chambre, c'est pour aller en prison, c'est sûr.

Le lendemain, à l'usine où je bosse, un journalier me traite de petit-bourgeois douillet quand il apprend que j'habite sur le Plateau. Pas de chance pour lui, j'ai un exacto dans la main. La lame est courte et émoussée, j'ai très mal dormi, mais j'ai pas mal de détermination.

La vie est une pute que l'on paie trop cher.

Nord perdu

Son avion a atterri vers 19 h. Près du nom Calgary, les écrans annonçaient « arrivé », jamais « revenu ». Elle était dans l'Ouest canadien depuis un mois, pour voir les montagnes et les wapitis, mais surtout pour danser, nue, parce que c'était artistique et contemporain. Trente jours loin d'elle. Une courte éternité pour de jeunes amoureux. En cinq ans, nous avions eu le temps de nous séparer souvent. Cependant, avant son départ, nous avions senti que quelque chose nous échappait, qu'il y avait une anguille sous nos sentiments. Derrière nos blagues et nos caresses, nous avions l'humeur des enfants avant la pénitence. Il m'avait fallu attendre son départ vers le soleil couchant pour que les soupirs de l'attente sèchent mes joues.

Dans l'appartement, elle avait éparpillé une trentaine de petits riens, des cadeaux ridicules d'amoureux: des lettres d'amour à cinq sous qui font chaud en dedans, des petites surprises pour chaque jour d'éloignement, des peccadilles qui obligent les romantiques à revenir dans une maison en feu pour les récupérer. Dans cette apnée sentimentale, ces petites attentions ainsi que de trop rares appels m'ont servi de bulles d'air. Mais voilà que cette attente tirait à sa fin. Je remontais à la surface, j'allais retrouver mon souffle. Sous les écrans où défilait la liste des vols, j'attendais, patient.

Quand je l'ai vue, je me suis précipité vers elle. Je l'ai astreinte à mon étreinte. Elle m'a serré un peu, m'a embrassé du bout des lèvres puis m'a repoussé doucement. Je ne comprenais pas. Trop, trop tôt? Décalage horaire? Pudeur? J'ai cherché à étouffer le troublant silence. Alors qu'elle m'écoutait de dos en surveillant l'arrivée de ses bagages, ses premiers mots ont été pour mes cheveux. «C'est... euh... c'est court!» J'en ai regretté ma tête. Elle m'avait déjà dit aimer passer sa main à rebrousse-poil sur ma nuque, mais c'était je ne sais plus quand. Avant, autrefois, plus jamais.

J'ai quitté l'aéroport sous une tonne de réponses mono-syllabiques et de silences après chacun de mes légers points d'interrogation.

Le retour à l'appartement s'est effectué à l'heure où le soleil se couche. Nous roulions vers le nord sur Saint-Denis ou sur Saint-Laurent, je ne sais plus. J'avais le soleil en plein front. J'étais déboussolé.

◡

J'ai laissé quelques jours empoussiérer le retour. Je n'ai plus posé de questions, le temps que revienne l'élan d'avant. Le quatrième soir, j'ai compris qu'il ne reviendrait jamais : un message venu de l'Ouest traînait sur le répondeur. *Tou me manques*. Trois mots à l'accent d'un homme qui parlait fran-çais à l'anglaise, comme elle filait depuis lui. Un monologue magnétisé d'une seconde et ma terre a cessé de tourner, des plaques tectoniques se sont rencontrées. Commençait alors une fin du monde toute personnelle.

Cette fin s'est étirée. Elle a tenté de la camoufler en mise au point. Dans l'espoir de la retrouver, j'ai tenté de la suivre, j'ai marché des kilomètres de routes qui se terminaient en culs-de-sac, j'arpentais des coins sombres sans réverbères, j'ai erré. Alors que je voulais franchir la distance qui nous sépa-rait, arriver à une destination, elle se repliait avec une molle moue d'exaspération. Elle qui aimait tout précipiter, voilà qu'elle s'impatientait de me voir pressé, qu'elle me demandait de l'attendre. J'aurais dû comprendre qu'elle me disait qu'elle ne marchait plus, ce qu'elle m'a avoué quelques semaines plus tard, le temps que je vieillisse de dix ans.

Nous est alors redevenu *elle* et *je*. Les plus belles conquêtes sentimentales font les pires défaites. Blessé, je me suis replié, je me suis terré et, pendant une seconde, j'ai pensé la tuer. Pendant une longue seconde, j'ai compris tous les crimes passionnels du monde. Pendant cette terrible seconde, j'ai eu pitié de toutes ces femmes et de tous ces hommes qui ont été emprisonnés à cause de leur intolérable douleur. La pire seconde qu'on peut vivre.

Sitôt la porte close, sitôt ses meubles partis, j'ai infusé dans ce lieu d'absences qu'était devenu mon appartement. «Tu es partie, tu es partout» chantait Joe. Je me tenais sur le quai et je regardais la vie défiler. J'aurais voulu que le train s'arrête, qu'il reste en station un moment, pas longtemps, le temps de comprendre, le temps d'une vie. Mais il n'y avait que ce tunnel sombre. Je me trouvais décalé de cette réalité qui m'entourait, des joies et des peines d'autrui.

◡

Après ces nuits-là, il y a eu un matin. Un seul, toujours le même, qui se répétait en boucle. Je refermais les yeux, le temps de trouver une inspiration, un second souffle, une seule raison de me lever, en vain.

Et il y a eu ce matin où, les yeux fermés, j'ai tendu le bras gauche pour toucher son dos. Je n'ai trouvé que des draps abandonnés depuis des jours. Des draps vides qui donnent le cafard. Il me fallait en acheter de nouveaux. Je me suis levé avant de devenir aussi froid.

Me sentir léger, j'aurais dû, mais je ne pouvais plus. Le poids de mes trente ans me paraissait insoutenable. Les deux mains de chaque côté du lavabo de la salle de bain, je me suis dévisagé pour la première fois depuis longtemps. Autour de mes yeux rougis, des rides se dessinaient, partaient dans toutes les directions, des pores s'ouvraient trop grand. Je commençais à caler sérieusement. Mon cuir chevelu remontait à la surface, mes cheveux s'écartaient pour le laisser passer. Le temps laissait sa trace.

Au cours des mois qui ont suivi, nous nous sommes téléphoné quelques fois. Nous nous sommes haïs pour des trucs ridicules puisqu'il n'y avait plus rien de sérieux entre nous. Elle a essayé de me convaincre que c'était pour le mieux, je crois avoir réussi à la persuader que j'en avais la même conviction. Pinocchio.

Après les derniers partages ridicules, après avoir établi que la cafetière valait les rideaux et un choix au repêchage, le silence est tombé bas. Bas au point de ne plus l'entendre, au point de ne plus faire d'ombre. La poussière aussi est retombée, mais elle a mis plus de temps… Et la poussière, quand on bouge trop vite, ça fait souvent tousser. Alors il m'a fallu attendre. Toujours attendre.

Ensuite, il y a eu Mélanie, Joyce, Suzy, encore Mélanie, Katia, Chantal et une troisième fois Mélanie. Ensemble, elles ont fini par crever ses yeux et étouffer son odeur. Combat ô combien inégal qu'elle avait pourtant souvent remporté.

Parfois, quand j'oublie qu'il me faut rester sur mes gardes, son souvenir me frappe en plein cœur et il m'embrouille la vue quelques secondes. Des secondes qui coulent, qui s'écoulent.

Ça fait dix ans de cela.

Elle, elle doit toujours danser. Lui et son accent de l'Ouest ont sûrement perdu de leur lustre depuis le temps. Moi, j'ai perdu tous mes cheveux et pas mal de raison avant de recommencer à vivre. Je n'ai jamais compris comment, pourquoi tout cela s'était passé, comme elle, probablement.

À Montréal, à la fin de juin, à l'heure où les couples rentrent à la maison, quand on roule vers le nord sur Saint-Denis ou sur Saint-Laurent, allez savoir pourquoi, on a le soleil en plein front.

Montréal a le nord à l'ouest.

C'est peut-être pour ça que les gens sont parfois si déboussolés.

Lisse

À la table de ce bistrot, bien loin de son Japon natal, Tamako boit son café dans une grande tasse en plastique incassable qu'elle traîne partout. Elle arbore ce sourire nippon, qu'on ne sait jamais s'il est vrai ou factice, et se prend en photo du bout des bras avec un téléphone cellulaire orange. Elle pose, ramène ses longs cheveux noir jais d'un côté puis de l'autre et, avant chaque clic, elle prononce silencieusement le même mot qui lui laisse sur chaque cliché la bouche en forme de cœur.

Ce soir, depuis une chambre exiguë qu'elle paye trop cher, Tamako enverra ses photos à des amis ou, mieux, elle les publiera sur son blogue, décorées de moult chats blancs et d'encore plus de cœurs roses, avec écrit dessous « Tamako devant le Stade olympique », « Sur le campus universitaire », « À Tadoussac ». Ces photos pourraient avoir été prises à Berlin ou Hanoï qu'elles seraient pareilles : on n'y voit que le visage ovale de Tamako, ses cheveux lisses, son sourire en plastique incassable. Tout le monde enviera sa chance, son bonheur.

Demain, sur le quai du métro en direction de l'université, le regard déjà loin, Tamako laissera passer trois rames sans bouger. Chaque fois, le vent ébouriffera ses longs cheveux lustrés.

L'antichambre

Ariane dort tranquillement. J'allume une de ses cigarettes et le tabac trop sec crépite sous la chaleur. Je ne fume pas habituellement. Je me demande bien pourquoi. Ma première bouffée est un bras d'honneur à ma santé. Je souris. L'air de la chambre est à peine frais. Dehors, il doit neiger, mais je ne peux le dire car les rideaux sont tirés. Il reste plusieurs heures avant l'aube. Je fais du temps.

Dans le lit, à mes côtés, sa respiration douce, mesurée, chaude. Ariane dort, le poing serré sur son oreiller. Les draps la couvrent mal. J'effleure des yeux son épaule, son bras, le côté de son sein. Elle soupire en souriant un peu. Je n'ai jamais vu une fille aussi heureuse de dormir à mes côtés avant elle.

Je me souviens de notre première rencontre. Elle prononçait des mots, n'importe lesquels, pendant que j'observais ses lèvres trop minces. Je m'étais surpris à la désirer, elle et ses cheveux blonds et bouclés alors que j'aimais les basanées aux cheveux raides. Elle avait aussi le nez trop court, les épaules trop fortes, les seins un rien trop lourds. Ce soir-là, elle m'avait embrassé un peu brusquement, la langue tendue comme pour m'éperonner.

Avec le temps, j'ai appris à la connaître, à remarquer les petits riens qui sont tout. Je pourrais écrire un livre sur elle, un bouquin qui me servirait de bible, de base à ma religion. D'ailleurs, Ariane sacre beaucoup. Ce n'est pas son seul défaut. Elle se montre impatiente le matin. Elle fait l'amour les yeux fermés comme pour imaginer un autre, et après elle parle sans arrêt en grillant une cigarette. Elle fume et quand elle m'embrasse, l'odeur du tabac froid assiège ma bouche. Je ne sais pas pourquoi le café, le tabac et les cœurs, refroidis après avoir brûlés, goûtent si mauvais.

Aussi, elle ne ramasse jamais ses mouchoirs qu'elle sème un peu partout dans l'appartement et dans sa voiture, ce vieil attelage déjanté dont elle connaît par cœur les chiffres inscrits à l'odomètre tant ça fait longtemps qu'il ne tourne plus. Une voiture crasseuse et rouillée. Quand elle frappe un nid-de-poule, il arrive souvent qu'une fenêtre tombe dans la portière, portière qui s'ouvre parfois toute seule lors d'un virage serré. Ariane le surnomme son « char de clowns » en riant. Cette fille se fout un peu de tout.

Ariane est un condensé de joyeux irritants : elle boit un peu trop, mais, malgré un foie fragile, elle a l'alcool heureux. Elle se ronge les ongles en parlant des fous qui peuplent son boulot. Elle écoute Lemay, Twain et Presley. Elle lit Dantec et Bombardier. Elle est d'ailleurs la seule que je connaisse qui lise Bombardier par plaisir. Elle dit « définitivement » alors que son énoncé n'a rien de définitif, et possède un joli accent de la Beauce qu'elle traîne en tout temps, sauf quand elle parle à des Européens ou des gays. Elle appelle sa mère tous les jours et elle n'éteint jamais la sonnerie de son cellulaire.

Malgré tout cela, cette fille se couvre encore les seins pour aller aux toilettes, après l'amour, même si je les ai vus des milliers de fois. Puis, elle me laisse toujours suffisamment d'eau chaude après ses douches. Le soir, quand elle est fatiguée, elle louche un peu. Mais très peu.

Cette fille, elle traîne dans mon lit depuis toute une vie déjà. Cette fille, je l'aime comme je n'ai jamais aimé, et je jure que dehors il ne fait même pas beau. En ce moment, sa respiration profonde et régulière apaise toute la chambre, tout mon être. Habituellement, je prends son rythme respiratoire pour m'endormir. Mais pas cette nuit.

Je prends une autre bouffée de nicotine et les vapeurs m'étourdissent un peu. Je souffle la fumée vers le plafond en essayant de faire des ronds. Mais je ne réussis que des masses informes qui disparaissent lentement. J'attends je ne sais quoi. Que le sommeil me rattrape. Que le soleil se lève. Qu'aujourd'hui devienne hier. Car, aujourd'hui, j'ai découvert qu'Ariane avait un amant.

Les distances oubliées

La circulation se faisait moins dense qu'à l'accoutumée, l'air de mai laissait filer ma moto et mes pensées, mon menton laissait des débris d'insectes dans son sillage. Puis je suis sorti de la lune pour me rendre soudainement compte que j'avais roulé quelques kilomètres sans en être conscient, mû par l'habitude. Je n'avais aucun souvenir de ces dernières minutes, comme si un pilote automatique avait fait le boulot, me permettant de rêver ailleurs, je ne sais même plus où.

Où étais-je? Qui conduisait pour moi pendant que je pensais à autre chose? Combien de jours ressemblent à ces kilomètres oubliés?

Le lit japonais

Paul Tibbets était aux commandes d'un gros avion, un vrai, en fer, qui avançait imperceptiblement dans le ciel vers Kyoto. Les mains un peu crispées sur le manche à balai, Paul sifflait *Star Dust*, la chanson préférée de sa mère. Il pensait à elle tous les jours, si bien qu'il avait donné son nom à son avion.

À quelques lieues, une vieille dame s'est réveillée dans une joie enfantine; son fils venait la visiter ce jour-là, pour son anniversaire, comme il le faisait tous les ans. Il arriverait avec un léger retard, impolitesse qu'il ferait oublier par des fleurs qui ne poussaient pas dans cette région du sud du Japon. Il était si prévisible. Devant le grand miroir près de son lit, la vieille dame s'est appliquée à se refaire une beauté. Elle était heureuse; malgré les nuages annoncés, il faisait drôlement beau en ce matin d'août. Ils pourraient aller marcher ensemble au parc. Penchée sur son miroir, la vieille dame a mouillé ses doigts pour amadouer une mèche rebelle.

Dans les écouteurs de Paul, une voix venue de loin lui a annoncé qu'il faisait beau sur Hiroshima. Ce ne serait donc ni Kyoto, ni Kokura, ni Nigata. Une goutte de sueur a roulé sur sa joue droite. Puis, doucement, le nez de l'avion s'est dirigé un peu plus vers le sud, là où il y avait un trou dans les nuages. Paul a eu une brève pensée pour *Little Boy*, la bombe cachée dans la soute, mais il a vite repris *Star Dust*, puis il a imaginé le visage d'Enola, sa mère.

Sometimes I wonder why, I wonder why
I spend a lo-lo-lonely night dreaming of a song
The melody haunts my reverie…

La vieille dame a de nouveau regardé le ciel depuis sa fenêtre, a souri. Ce serait une belle journée.

Mon globe terrestre

Petit, j'aimais passer ma main sur la surface de mon globe terrestre à relief. Du bout des doigts, je visitais des pays roses, jaunes et verts, je faisais le tour du monde, je rêvais en couleurs. Je cherchais la bosse la plus haute de l'Himalaya et je sentais alors tout le ridicule des petites enflures usées de mon coin de planète. Au fil des années, j'ai si souvent caressé du doigt le Tibet qu'il en a perdu sa couleur.

Quand je touchais ma sphère, je me disais qu'un jour j'irais partout. Je voulais fouler du pied les sommets que je caressais du doigt. Je voulais voir s'il y avait vraiment un clou au pôle Nord. Je voulais voguer sur le mot Atlantique. Je voulais constater que la planète était grande, contrairement à celle de ma bibliothèque, contrairement à celle du Petit Prince, ridicule avec ses petits volcans et sa fleur.

Ce globe terrestre m'a appris que le monde était plein de couleurs. Il m'a surtout appris que les pays sont rarement de la couleur qu'on se les représente, et que les enflures ridicules ne sont pas toujours là où on le croit.

Gagner du temps

Son regard a soutenu le sien. Chose rare, le sien a fait de même. Par hasard au début. Pas par défi comme souvent. Puis par bien-être. Un peu par bonheur aussi. Autour de ses yeux verts, un visage sûrement trop jeune et décidément trop beau. Le tout d'une apparente assurance et d'une superficielle froideur, comme seules en sont capables les rousses.

Deux stations comme ça, à ne pas baisser les yeux, à surtout ne pas baisser les yeux.

Ils sont descendus tous les deux à la station Lionel-Groulx, non sans sourire de ce hasard nullement significatif. Elle a arrêté ses pas sur le quai d'en face, le regard posé sur les rails qui menaient au bout du tunnel. Lui devait remonter à la surface, continuer vers le bus. Debout sur une marche de l'escalier roulant, il ne pensait qu'à elle, à leurs chemins déjà divergents, comme après cinq ans de vie commune. Quand il a compris qu'il devait absolument la revoir, il a entrepris de redescendre un escalier roulant qui insistait pour monter. Il a bousculé ceux qui le suivaient, il a trébuché en arrivant en bas. À peine s'il s'en est rendu compte.

Il lui a tendu un bout de papier sur lequel était écrit un nom, le sien, et un numéro de téléphone, le sien aussi. Elle lui a souri, gênée. Il est reparti, fier.

Il pensait qu'elle ne l'appellerait jamais.

C'est ce qu'elle a fait.

S'il avait su, il aurait préféré qu'elle le gifle là, sur le quai. Il aurait gagné du temps.

Soir de mégot

Derrière des vapeurs d'alcool, Jef s'est maladroitement allumé une cigarette dans un clic métallique propre aux Zippo. Dès qu'il a voulu la prendre entre ses doigts engourdis, ses lèvres l'ont échappée. Jef a soupiré puis est descendu de son banc pour la ramasser. Les bancs sont hauts à cette heure. J'ai pris une gorgée de bière en l'attendant. Puis deux. Il ne remontait pas.

Au moment où je commençais à m'inquiéter, il est réapparu, l'air satisfait. Il s'est rassis. Entre ses lèvres, un mégot éteint. En regardant dans le goulot de ma bouteille, d'un ton faussement badin, je lui ai dit :

— T'avais pas une cigarette toute neuve avant de descendre en bas ?

Les yeux mi-clos d'alcool, il a tâté le mégot.

— Câââlice...

Frustration. Déception. Résignation.

— Ah, pis d'la marde !

Sans recracher le bout jaune glané par terre, il s'est allumé une seconde cigarette, toute fraîche celle-là.

— La prochaine fois, rappelle-moi de ne pas aller chercher ce que j'échappe.

Je regardais avec fascination et amusement comment il faisait pour parler sans perdre aucun des deux bouts de clopes qu'il avait au bec. Puis, comme s'il venait de conclure une longue réflexion sur une théorie obscure, il m'a lancé, le doigt en l'air :

— Sais-tu quoi? J'pense que... j'vais rentrer. J'trouve ça dur de parler ce soir.

— Bonne idée, mon ami. Au revoir.

— Ciao.

Sans un mot, il est resté quelques secondes immobile, et il a commandé un autre verre.

Signes des temps morts

Où j'habite, les fous ne cessent de parler du temps qui passe et passent leur temps à demander aux infirmiers s'ils ont l'heure. Les infirmiers n'ont jamais l'heure. Ni le temps d'ailleurs. Alors, les malades n'attendent pas et me demandent l'heure.

— Avez-vous l'heure ? Avez-vous l'heure ?

Je n'ai pas l'heure. Je n'ai pas de montre non plus. On n'a pas le droit au centre. Il paraît que c'est pour éviter de trouver le temps long. Mais, même court, on ne le trouve jamais, le temps. On ne fait que le perdre. Et dès qu'on en trouve un peu, on s'applique à le tuer.

Un infirmier arrive avec une aiguille. Je ne sais pas si c'est la grande ou la petite, mais je sais que ça veut dire qu'il est 20 h et qu'il est temps de dormir.

J'ai 35 ans et je bâille déjà.

Faillite

Il restait encore trente minutes au cours que, déjà, j'entendais les cahiers à anneaux se refermer en un claquement sec, des milliers de petites dents de fermetures éclair s'imbriquer, des boutons-pression s'enclencher pour cacher quelques crayons dans des étuis ornés de Tupac Rules, d'I luv J. et d'autres Canada kicks ass écrits au liquide correcteur.

Trente minutes, ça laissait amplement de temps pour couvrir le peu de matière qui restait à l'agenda. J'ai tout de même accéléré la cadence. Je savais bien qu'ils avaient très peu d'intérêt envers la concordance des temps et très hâte à la semaine de lecture.

— À la quoi, Monsieur ? me lance un rigolo.

— À la semaine de lec-tu-re... dis-je en séparant les syllabes.

— Mais Monsieur, poursuit l'étudiant, c'est idiot en français: lec-tu-re... on ne lira pas. C'est le *spring break* !

— C'est vrai qu'en anglais, c'est mieux: le *spring* au début du mois de mars...

Nous avons tous ri puis j'ai terminé une leçon que plus personne n'écoutait. Quand j'ai lancé « Bonne semaine ! », il y a eu un grand bruit de chaises et de pupitres, puis, en moins de quelques secondes, tout le monde avait fui vers l'impossible printemps. Tout le monde sauf Atsanik, un Inuit qui insistait pour qu'on l'appelle George et dont la grandeur faisait mentir tous les livres de ma jeunesse où ceux qu'on appelait les « Eskimos » mesuraient un mètre dix. Il rangeait ses effets sans hâte.

— Tu n'es pas pressé de partir, Ats... George ? dis-je, mi-intéressé.

— Bah... – il commençait toutes ses phrases par bah...
– À quoi bon? Je vais passer la semaine tout seul dans les résidences du campus.

— Tu ne retournes pas dans ta famille?

— Bah... Trop coûteux.

— C'est vrai, l'avion et tout. Maudite logique économique; l'offre et la demande, tout ça...

— Bah... Ce n'est pas de monter à Kuujjuaq qui est le pire; votre gouvernement paye pas mal tout... Le plus dur, c'est de repartir dans le Sud après, c'est de repartir de chez moi...

J'ai essayé un peu de montrer une sincère sympathie mais j'ai cherché mes mots quelques secondes de trop, puis j'ai préféré me taire. De toute façon, Atsanik s'en foutait de ma sympathie.

Il m'a souri discrètement avant de me saluer. Il n'y avait rien à ajouter.

Louis se réveilla vers 13 h 30. Rien d'extraordinaire quand on se couche à 9 h, après les émissions pour enfants. Comme l'avenir appartient à ceux qui se lèvent tôt, Louis leur avait dit bonjour avant de rentrer chez lui pour dormir. La tête bien calée dans son oreiller trop mou, il jeta un œil poché aux chiffres lumineux de son réveille-matin. Il renifla bruyamment, se frotta le visage avec les paumes et eut une brève pensée pour ses étudiants puisqu'il avait un cours à 13 h. Louis ne s'en fit guère ; on en était déjà à la quatrième semaine de la session, les étudiants avaient donc l'habitude… Il fallait qu'il se rappelle de ne plus donner de cours le lundi.

Malgré les bières et les scotchs de la nuit précédente, Louis n'avait pas mal à la tête. Il refusait tout de même de se lever. Une légère sueur d'alcool étreignait son corps. Ses doigts collaient les uns aux autres et son t-shirt adhérait à son ventre. Quand il y pensait, il se dégoûtait, mais il y pensait très peu car, ce matin, il était bien.

Louis resta couché à regarder le plafond, contemplant cette évidence qui le frappait : il était enfin alcoolique.

Puissance et liberté

Tous les matins, je roule vers le boulot sur la même autoroute, empruntant les mêmes voies, abordant les mêmes courbes de la même manière. Je me dirige à vive allure vers l'inévitable attroupement de mes pairs, pressés eux aussi de s'asseoir derrière leurs paravents grèges en échange d'un chèque de paie. À la radio s'enchaînent prévisions météorologiques, bulletins de circulation, chansons prévisibles et pubs d'automobiles qui promettent puissance et liberté.

À la hauteur de l'avenue Woodland, entre deux poteaux du garde-fou au centre de l'autoroute, il y a le cadavre d'une jeune biche frappée par un véhicule il y a quelque temps déjà. Chaque fois que je passe par là, je me répète les mêmes trucs, dans le même ordre. *Primero* : il y a des cervidés à Beaconsfield ? *Segundo* : elle aurait dû rester dans son ravage. Traverser une autoroute, quand on est un chevreuil, n'est jamais une bonne idée.

Aujourd'hui, pendant que je roule sur la voie rapide bien en deçà de la vitesse permise, je remets en question ma liberté : tous les jours, je suis une voie toute tracée, goudronnée, balisée. Quand je m'emmerde trop, je mets deux roues dans l'accotement, de l'autre côté de la ligne, pour prendre un peu plus que ce qu'on m'a donné. Mais, même là, je demeure à ma place, dans cet espace que définit la norme, à mille lieues de ce dont je rêve, de cette entité qui va où elle veut, où elle espère l'herbe plus verte, qui se fout des sens uniques et des garde-fous pour gens sains, et qui, parfois, traverse une autoroute devant le faisceau étroit des phares d'une voiture.

Tous les jours à la hauteur de l'avenue Woodland, malgré le feulement de son moteur et sa direction assistée, ma puissante mécanique n'arrive plus à me faire oublier que tout ce qu'elle m'offre de la liberté, c'est un peu de son sang incrusté dans la calandre.

Les vraies choses

Ce jour-là, après 26 ans de vie commune, Michel regarda sa conjointe se préparer pour son boulot et se demanda comment une femme qui se maquille tous les matins, qui passe 45 minutes à placer des cheveux qu'elle teint régulièrement pour cacher la repousse, qui porte des talons hauts et des soutiens-gorge rembourrés, qui a eu recours à la liposuccion et qui envisage de se faire remonter la peau de la figure, des seins et de dieu sait quoi d'autre, comment une telle femme pouvait lui reprocher de ne pas dire les choses telles qu'elles le sont ?

Autour du bonheur

— Pour toi, c'est quoi le bonheur ?

— Toi et tes questions à la Mafalda…

— Non, je suis sérieux : pour toi, c'est quoi le bonheur ?

— Peuh… Je le sais pas trop. C'est presque rien. Le bonheur, c'est… c'est quand la personne que tu aimes te dit qu'elle t'aime. C'est quand tu réussis à la faire rire. C'est quand tu la vois avoir un orgasme. C'est… C'est de revoir un ami qu'on a perdu de vue depuis longtemps. C'est un chien qui entend les pas de son maître dans l'escalier. C'est un compte de carte de crédit à zéro. C'est un mois avec trois paies. C'est se réveiller tôt et se rendre compte que c'est samedi. C'est le rire de ton enfant. C'est quand le barman te paie un verre, comme ça, pour rien. C'est le sourire d'une belle fille que tu ne connais pas. C'est une botte de foin dans un champ par un beau jour d'automne… C'est un peu n'importe quoi. Ça dépend de ton regard, j'imagine… Et pour toi, c'est quoi *ze* bonheur ?

— C'est avoir assez de temps avec un ami pour l'entendre énumérer ce qui le rend heureux.

— Tu vois, c'est ce que je disais ; c'est presque rien et pas mal n'importe quoi.

On s'est regardés. On s'est souri. Les verres ont fait cling ! puis le silence est resté entre nous cinq heureuses minutes.

Carnet de doute

À six ans, je voulais être pompier. Quand je me suis rendu compte que tous les autres gars de ma classe voulaient aussi devenir pompier, j'ai douté. Peut-être était-ce trop commun. J'ai alors voulu devenir policier. Mais un jour, pendant une bagarre, j'en ai pris une sur la gueule. J'ai perdu deux dents et un peu d'estime de moi. J'ai compris que je n'avais pas la couenne d'un agent de la paix et que je préférais regarder les coups de poing de loin plutôt que de les absorber avec ma tête.

J'ai donc voulu devenir journaliste. J'ai cultivé quelques années le maniement du micro et celui d'un accent français international assez amusant, puis la télé régionale m'a assigné mon premier reportage. Ce soir-là, au bulletin de 18 h, je couvrais avec bâillements l'évolution d'un menaçant embâcle à Laval. Le seul personnage un peu intéressant que j'ai rencontré pendant ce reportage était l'ingénieur qui étudiait la crue des cours d'eau. Alors, je me suis dit que l'ingénierie hydrographique serait bien. La secrétaire de l'Université de Montréal a fait un petit prout entre ses lèvres pincées et a refusé ma candidature parce qu'il me manquait des cours en sciences pures. Peut-être avait-elle raison ; je ne me souvenais guère de mes années collégiales, sinon pour un cours de cinéma. Alors je me suis dirigé vers le cinéma. Pour devenir réalisateur, sonorisateur, costumier, n'importe quoi qui créerait du rêve. Mais, dans ce rêve, il me fallait apprendre des termes anglais se terminant par *euw*, et surtout apprendre à me les faire crier avec mépris par un gros Américain épilé à la cire. Rapidement écœuré, j'ai donné une leçon de bienséance à Chose *wannabe* Spielberg, puis j'ai quitté le métier.

Je suis resté quelque temps sur le divan de mon salon à douter de ma réelle valeur quand la banque qui m'avait fourni joyeusement mon prêt étudiant s'est mise à appeler avec de plus en plus d'insistance.

Pour me cacher des créanciers qui s'impatientaient, j'ai fui en Abitibi couper des arbres. Après quelques mois de coupe à blanc et d'immenses remords, je me suis enchaîné à une épinette pour protester. La compagnie a choisi de ne pas tenir compte de mon geste. J'ai survécu en léchant le tronc de l'épinette jusqu'à ce qu'un *granole* un peu perdu et pas mal *stone* me libère de mes chaînes. J'ai quand même continué à suivre mes idéaux et je suis allé travailler sous la table dans une salle obscure où je triais le contenu des bacs de recyclage pour en faire du papier cul. Mais, malgré la mode verte, les gens ne voulaient pas s'essuyer avec du papier brun. Alors on m'a relégué aux bouteilles de verre.

Là, ça n'allait pas mal. Il fallait cependant être vigilant, ce que je n'étais pas souvent, et je me suis coupé les doigts un à un avec le verre cassé des pots de mayonnaise. Je m'en étais coupé six au ras de la paume quand mon patron s'est rendu compte que j'étais de plus en plus gauche et que les doigts de mes gants de caoutchouc étaient mous. Il m'a foutu à la porte sans même reprendre les gants.

Aujourd'hui, j'ai 42 ans. Je quête des sous devant la caserne 34. Mais, comme il me manque des doigts, les pièces de monnaie tombent souvent par terre et je passe mes journées à me les faire piquer par un petit morveux qui me colle au derrière comme la gomme à mâcher aux poils des fesses. Les employés de la caserne d'en face rient de moi et passent leur temps à frotter de rutilants camions, à jouer avec des chiens vaguement intelligents et à siffler des filles trop grosses pour leur t-shirt, flattées d'être ainsi remarquées par des hommes chaussés de caoutchouc.

Aux dernières nouvelles, aucun de mes amis du primaire n'était devenu pompier ; ils étaient tous cons, ou douaniers.

Tout compte fait, ma première idée était la meilleure ; j'aurais dû être pompier.

Julie broie du noir jusqu'à la poudre, poudre qu'elle ramasse en un petit tas insignifiant, au point où elle se demande chaque jour comment elle peut s'y noyer. Elle s'y noie tout de même. Elle ne nage d'ailleurs presque plus, si ce n'est que quelques battements de pieds ici et là. Devant son petit tas broyé, Julie décide de prendre son temps, de prendre son souffle en se gonflant la poitrine comme d'autres prennent leur élan. Dernière aspiration avant de fermer les lèvres, retenir l'air une seconde de trop. Au début, c'est facile. Mais tout se comprime rapidement. Ce n'est pas dans les habitudes humaines de se contenir comme ça. Julie devient rouge, puis bleue. Elle toussote un peu la bouche fermée, sa vie entière compactée derrière ses lèvres closes.

Quand elle commence à voir des étoiles, quand elle sent la vie chanceler, elle abandonne, elle souffle sur la poudre, souffle de toutes ses forces, comme pour éteindre les 36 chandelles de son gâteau, comme pour gonfler un ballon au caoutchouc trop épais, comme pour attiser la braise d'un feu oublié. Elle voit alors le noir devenir nuage. Un nuage de poudre aux yeux qui aveugle momentanément. Alors on essuie ses joues avec nos mains, avec l'intérieur des coudes, en traitant Julie de petite connasse : on ne souffle pas sur la cendre comme ça, c'est impoli, c'est salissant. Puis, quand on rouvre les yeux, Julie a disparu.

Black out.

Bout de quai

— Hey, pétite, né sauté pas…

Une main se referme doucement sur mon bras. En me tournant, je vois le visage d'un homme plus vieux que moi, profil hispanique, encerclé d'une jeune barbe grise. Un homme qui avait dû, peut-être, possiblement, enfin, avec de l'imagination, être beau. Mais l'âge, la friture et l'absence de dentier avaient travaillé sa figure.

— Né sauté pas dévane el trène, pétite. Y faut pas.

— Cessez de m'appeler « pétite »…

— D'accorde. Yé t'appellérai plou pétite, pétite. Yé m'appelle Pedro. Et toué ?

— Jules.

— Encantado, Joule. Écouté-moué. Yé vais té donné dou rasonnes dé né pas sauter. Viens icitte, pétite Joule.

Il m'attire doucement loin des rails du métro, son bras autour de mes épaules trop basses. Je le suis malgré ses vêtements sales, malgré sa laideur, malgré ses « pétites ».

— *Primero* : la vie est belle. Malgré tout. Régardé-moué. Yé souis moche. Yé souis vieille.

— Vieux…

— Yé souis viou mais yé souis oune vieille homme. Yé m'en fous, pétite. Yé souis laitte. Pourtant, yé souis heureuse ! Y faut pas sauter.

— Et la deuxième raison ?

— Tou n'es pas dé Montréal, si ?…

— Là, j'avoue, je ne comprends pas… C'est écrit où que je viens de la Beauce ?

Pedro se met à rire!

— Mais no, yé faisais oune pétite djoke, comme vous dites, pétite. La dousième raisonne, c'est qué t'as jamais pris lé métro icitte : lé métro, il arrive par l'autré côté! Rendou ici, il ne roulé presqué plous. Tou vas jouste avoir l'air ridicoule dé sauter dévanne oune trène arrêté!

J'ai déjà l'air ridicule. Je baisse les yeux et me dis que je suis un raté, au point de manquer un suicide tout simple. Il faut le faire : manquer un train sur des rails.

Pedro m'attire dehors pour m'offrir une bière. Je marche dans ses pas sans me demander pourquoi. Peut-être parce que je n'ai rien prévu faire après mon suicide, peut-être simplement parce que j'avais besoin d'un petit remontant.

Au premier zinc croisé, on boit des scotches et de la bière pendant des heures. On se parle, on se tait, on se connaît un peu mieux. Puis, abdiquant devant l'alcool, Pedro s'endort sur le bar. Comme ça. Le visage sur le bras droit, les yeux clos sur ses rêves éthyliques, derrière sa barbe grise qui sort de sa peau, derrière ses rides d'homme qui a vu des beautés et des laideurs aussi grandes que les miennes, peut-être plus.

Je lui glisse dans la poche un bout de papier sur lequel j'ai écrit «Merci Pedro.» Et j'ai signé Pétite. Je sors.

Il fait nuit et des halos de brouillard flottent autour des réverbères. Mes pas sont étonnamment assurés compte tenu du houblon sur lequel je pose les pieds. À la station de métro, je retrouve le quai du côté Angrignon. Je me touche le bras et je souris en pensant à Pedro.

Ce coup-là, je me dirige vers la bonne extrémité.

Il y a des matins

Il y a des matins que j'aime, pour rien, pour rire, où le soleil est levé depuis quelques jours, où joue à la radio la chanson dans ma tête. Des matins où sa vulve goûte sucré, où sa peau est douce comme l'aile d'un papillon, où son parfum s'accroche aux murs plus longtemps qu'à l'accoutumée, où les sourires sont sans raisons, irraisonnés, irraisonnables, malgré tout le cinéma américain partout. Ce sont des aurores où je traverserais des océans en espérant secrètement ne jamais fouler d'autres terres que celles que j'ai labourées avec mes doigts, un temps où tout m'est connu, où j'ouvre le dictionnaire directement à la bonne page, où le café garde sa mousse. Ces matins, je m'ouvrirais un restaurant, un bar, un hôtel de passe, les veines des poignets, n'importe quoi pour ne plus jamais partir.

Il y a aussi ces matins que je contemple mais qui signifient si peu, où j'essaie de plier des cuillers par la force de ma pensée, où le chat du voisin attend qu'un poisson sorte de la bouche d'égout. Ces matins, mes espoirs se muent en peurs devant des tests de grossesse trop fatigués pour être clairs.

Ce sont des matins de presque rien où j'ai honte de cette médaille de l'armée russe que j'ai achetée pour quelques sous d'un vieillard édenté en sachant lui prendre ce qui lui restait de gloire, des matins édentés où notre histoire tient en une pièce métallique. J'ai alors mille ans, une cravate de plomb et les yeux qui tombent sur les côtés.

Je me réveille tout en mal de tête et en haleine du passé, je vomis ma vie dans un seau en fer blanc. Il y a des matins tumeur, cancer, lésion, où je me soucie plus des cicatrices que de la chirurgie, des matins scalpel sans suture.

Il y a des matins où le facteur passe devant chez moi sans s'arrêter. Des matins où je ne salue personne pour garder mes mains au chaud, là où elles comptent ce qui me reste de monnaie, ces moments où je ne crois en rien, ni en dieu ni en l'homme et sa douce, ni au journal ni aux bourgeons, où rien n'existe, ni eux ni moi.

Il y a des matins où j'abdique, où je concède la victoire à ce moustique qui me tourne près de l'oreille depuis l'Antiquité, où je reste couché sans même craindre de ne plus jamais vouloir me lever.

Idylle sous éthyle

J'ai soif
tu m'abreuves

je bois
tu me désaltères

je m'enivre
tu me grises

je vide
tu me saoules

je titube
tu me liquides.

Monsieur Tout-le-Monde

Depuis toujours, Michel passe inaperçu. Dès le départ, son père ne se rappelait jamais son nom. Il faut dire qu'il est le douzième d'une famille de quinze enfants et qu'il a l'air de rien, qu'il a l'air de personne et de n'importe qui. Monsieur Tout-le-Monde, c'est lui.

Contrairement à ce qu'on pourrait croire, cet état de chose lui plaît. Il a d'ailleurs commencé très jeune à travailler dur pour que cette situation ne change pas. Il est assez difficile de ne pas se faire remarquer : il faut viser la moyenne, le plus grand dénominateur commun, le cœur de la masse. À l'école, comme les professeurs ne remarquent que les étudiants assis dans la première et la dernière rangée, il s'assoyait dans la seconde, près des murs. Pour être certain de ne pas être remarqué, il visait la moyenne du groupe. Dès qu'il recevait un 80 %, il ralentissait la cadence et terminait avec un invariable 72 % ni épatant ni inquiétant. Ni vu ni connu. Il est passé à travers l'école comme un fantôme traverse les murs.

Il a abandonné les études assez tôt pour travailler dans une usine de vis à bois. Il arrive dix minutes avant 9 h, part à 17 h pile et ne prend jamais un congé de maladie ; après vingt ans au service de son employeur, ce dernier ne le reconnaît toujours pas.

Michel possède une maison ordinaire dans une banlieue moyenne. Il évite les voitures trop récentes et les revend avant qu'elles ne deviennent trop vieilles. Il aurait bien un enfant virgule huit et une femme un peu moche si pour ça il n'avait fallu qu'une femme ne le remarquât. Il vit donc seul avec un chien. Pas trop gros, le chien.

Le soir, en rentrant du boulot, il arrête dans une taverne d'un centre commercial vaguement achalandé, toujours la même, puis il commande une de ces bières à la mode qui goûtent peu, toujours la même aussi. Malgré sa longue fidélité à ce lieu, le vieux barman lui demande toujours quelle bière il désire. Michel fait alors semblant d'hésiter avant de dire : « Une Bud Light ». Il a vraiment l'air de rien.

Mais ce soir, en entrant dans la taverne, le barman l'a reconnu. Le temps de prendre banc, une Bud Light a atterri devant lui et le barman l'a salué avec un grand sourire :

— Salut Michel ! Ça va ?

Pour la première fois de sa vie, quelqu'un le reconnaissait, se souvenait de lui. Il a répondu en onomatopées, a calé sa bière et est parti en laissant un généreux pourboire.

Dans sa voiture, au moment de mettre le contact, il est arrivé à la conclusion qu'il devait maintenant trouver une nouvelle taverne.

En cette première journée de l'été des Indiens, comment trouver la vie moche?

Dans mon nouveau quartier, tout est plus lent qu'à l'endroit où je vivais avant: les gens y marchent lentement, les ouvriers font la pause sur le trottoir, le temps se prend.

À un jet de pierre de mon nouveau chez-moi, il y a un petit resto de rien. Une porte, une grande fenêtre, une enseigne peinte à la main. Même pas sur une rue commerciale. Je m'y assois pour un deux-œufs-tournés de fin d'avant-midi. La serveuse appelle la cuisinière en lui criant «Maman» et elle connaît le prénom des deux petits vieux assis au comptoir. Sur un tableau au mur, le menu du jour annonce une soupe aux légumes ou bœuf et orge, du pâté chinois ou des bâtonnets de poisson, et du pouding chômeur ou du pouding au riz. Dans le frigo, entre le Pepsi et le Seven Up, un gâteau on ne peut plus maison avec un glaçage blanc décoré de petits bonbons de toutes les couleurs, comme celui que notre mère nous avait préparé pour notre quatrième anniversaire. Un troisième vieux entre, salue les deux premiers et déroule le *Journal de Montréal* d'hier. Il commande du foie avec des oignons.

Je suis tout près de mes anciens quartiers, je pourrais presque les voir si je me dressais sur la pointe des pieds, et pourtant je suis dans un autre fuseau horaire.

Accent grave

Si vous demandez à Carlos depuis quand il vit au Québec, il vous dira depuis toujours. En vérité, il est arrivé au pays à l'âge de douze ans. Il sacre, il écoute le hockey et il a pratiquement connu le Rosemont du temps où il y avait encore des champs. Voir son visage rond de descendance maya gober de la poutine avec des commentaires de connaisseur surprend et amuse. Ça rassure un peu, aussi.

Malgré cette intégration, Carlos cultive jalousement son accent d'Amérique centrale, un accent prononcé, une carte postale sonore d'un Salvador lointain qui lui fait dire « Salou! », une salutation qu'il fait souvent suivre d'un « Yé soui conntennt dé té vouâr! » rempli de soleil, qui rend immanquablement joyeux. Avec Carlos, il y a toujours plus de voyelles et de sourire qu'il n'en faut.

Carlos ne veut jamais retourner au Salvador: « Cé payss né mérite pas mess souliers ». Peu avant de venir vivre ici, des factions anti-communistes soutenues par les Américains ont tué son père, ses oncles, sa grand-mère. « Ils ont découpé ma grand-mère et ils ont laissé les morceaux sour lé bord dé la route » détaille-t-il d'une voix trop douce. Puis entre deux gorgées d'une bière froide, presque pour lui-même, il ajoute: « On né fait pas ça a son peouple. »

Malgré les cheveux noir jais, malgré le teint ensoleillé à l'année, Carlos n'est plus Salvadorien. Il vit au Québec, jalousement, entièrement. Quand il parle, tout le monde entend son père, sa grand-mère.

Il y a des accents plus vivants que d'autres.

Ailleurs, c'est comme ici, mais ailleurs.

Chère amour,... Non.
Julie,... Non plus.
Heille! Voilà.

Je crois que toi et... Non.
Depuis que tu m'as tromp... Non plus.
Ton odeur m'écœure. Voilà.

J'espère que tu comp... Non.
On devrait se lais... Non plus.
Je couche avec ta sœur. Voilà.

En te souhaitant des jou... Non.
Adieu... Non.
... en ce moment. Voilà.

Signé:
Ton Paulo... Non.
Paul... Non plus.
Voilà.

P.-S.
On verra pour le parta... Non.
Laisse la clé sous le paillas... Non plus.
J'ai changé les serrures. Voilà.

Money for Nothing and Canal for Free

À chaque exhalation, ma respiration laissait un fin nuage devant ma bouche en ce matin de novembre alors que je marchais vers le métro Atwater. Sur le pont de la rue Charlevoix chevauchant le canal de Lachine, deux badauds appuyés sur la rambarde jasaient fort. On aurait dit Laurel et Hardy version Pointe-Saint-Charles, la tuque du Canadien sur le bout de la tête, les bottes de construction délassées, tous les clichés populaires réunis. Ils pointaient un bout de tissu à la surface des eaux brunes. Je n'étais pas pressé, je me suis accoudé au garde-fou près d'eux.

— Ce n'est qu'un manteau, j'te dis, lançait fort le plus gros des deux hommes.

— C'est un cadavre, *man*, a répondu le maigre.

— Si c'est un cadavre, pourquoi on ne voit pas les mains, ou les jambes, ou la tête ? Hein ?

— Parce qu'elles sont trop lourdes pour flotter à la surface, j'ai lancé.

Ils ne m'ont même pas regardé et ont poursuivi la discussion, comme si j'avais toujours été de leur conversation :

— Quand même, on verrait quelque chose, sais pas moi, des cheveux... a continué le ventru dans ma direction, cherchant visiblement un appui extérieur à son argumentation.

— Si le corps est dans l'eau depuis hier, probablement pas, ai-je ajouté, faussement détaché.

Déjà, sur le bord du canal se tenaient quelques hommes et un policier. Ils avaient attaché une pelle au bout d'une corde et essayaient de la lancer par-dessus le manteau pour le tirer vers la berge. Le léger courant du canal et la maladresse aidant, ils ont dû s'y prendre trois fois avant d'y parvenir.

— Cinq *piasses* que c'est un cadavre, j'ai dit, trop sûr de moi.

— *Deal*, dit Hardy en jetant son mégot d'une pichenotte dans les eaux brunes.

Le policier a tiré sur la corde et, quand la pelle est arrivée au tissu bleu marin, le manteau a roulé sur lui-même. Du coup, une main gonflée est sortie de l'eau, comme dans les pires films de série B.

— Ah b'en *criss*, j'étais pourtant sûr…, a sifflé le massif en me donnant un billet de cinq dollars en petite boule frippée.

— Merci, ai-je lancé gauchement, en me rendant compte soudainement que je n'étais pas en avance pour mon cours.

En marchant vers le métro, je me suis dit que c'était l'argent le plus insensible, le plus glacial qu'un homme ait pu faire. Avant d'entrer dans la station, j'ai tendu le billet tout plissé à un *quêteux*. Je lui ai fait promettre de le dépenser pour une bière froide. Il a semblé me trouver un peu con.

Il n'avait pas idée combien il avait raison.

Poursuite

Au coin de la rue, une jolie femme dans la jeune quarantaine court sur place en attendant que le feu change au vert. Il pleut, il fait froid, et les roues des voitures éclaboussent son pantalon moulant assorti aux chaussures sport dernier cri. La femme piétine le béton pour garder le souffle et pour perdre sa légère culotte de cheval. Elle profite du moment pour prendre son pouls sur dix secondes. Un doigt sur la jugulaire, un poignet devant les yeux. Gauche droite gauche. Top chrono. Un deux trois quatre... Stop. Fois six... Papapapa... 162. Légère panique : trop bas ! Pourtant elle souffre, elle est rouge, elle sue, elle halète. Dans l'autre direction, une main lumineuse clignote. La femme pourra bientôt poursuivre sa course. Elle ajuste le volume du baladeur fixé à sa ceinture, question de moins ressentir la douleur. L'homme derrière elle ne lui dira pas qu'elle ne devrait pas se torturer de la sorte, que lui il aime bien ses fesses un peu potelées, ses hanches un peu fortes. L'aveu serait grossier et incroyable devant la vérité des revues de mode. Puis se rallument le petit bonhomme blanc, le feu vert. Elle peut reprendre le rythme imposé de la course après ses vingt ans.

Ti-Gus

Dans la ville où, la tête bien appuyée sur mes mains près d'une chaîne stéréo, j'ai regardé passer mon adolescence, vivait un vieil idiot sourd-muet. Enfin, je dis vieux, mais il n'avait pas vraiment d'âge. Il semblait faire partie du paysage depuis toujours. Tout le monde l'appelait Ti-Gus, mais on aurait pu l'appeler Adelinette ou Requin-marteau qu'il ne se serait pas plus retourné, sourdingue comme un pot qu'il était.

Ti-Gus n'avait jamais appris à lire sur les lèvres et encore moins à parler le langage des signes, alors quand on lui disait quelque chose, il comprenait bien ce qu'il voulait, et s'exprimait par des sons simiesques. *Hum!* c'était *Bonjour. Hum!* c'était *J'ai faim, Hum! Hum!* c'était *Fous le camp petit con.*

L'administration de la ville où je vivais avait un jour chargé Ti-Gus de l'entretien de l'aréna et du terrain de baseball. L'été, il râtelait comme un cultivateur mexicain, sortait les buts, traçait et retraçait les lignes blanches dans le gazon. L'hiver, il sifflait pour avertir les petits morveux qu'ils patinaient trop vite, ou dans le mauvais sens, ou à reculons. Le soir, pour éviter de croiser trop d'imbéciles, il retournait chez lui en marchant sur les dormants de bois de la voie ferrée. Nous, les enfants du quartier, comme les maringouins de son silence, on courait lui crier des noms dans son dos en le pensant bien à l'abri derrière sa surdité.

Quelques années plus tard, j'ai côtoyé Ti-Gus quatre ou cinq mois, le temps d'un travail entre deux désorientations universitaires. Il venait jaser pendant les pauses, mais je me lassais vite de son discours monosyllabique, et lui riait trop fort de mes mimiques à la Marceau. Je l'ai tout de même connu le temps d'une saison, le temps de voir qu'il n'était pas idiot du tout, qu'il manquait tout simplement de mots comme d'autres de cartes dans leur main.

Cet hiver-là, Ti-Gus a adopté un vieux chien errant, ou un chien errant a adopté Ti-Gus, je n'en suis plus certain. Enfin quelqu'un qui ne le suivait pas pour lui crier des chienneries, quelqu'un qui n'avait pas besoin de mots. Il fallait voir la joie, la fierté dans les yeux de l'homme quand il présentait son chien aux passants. C'est fou l'humanité que peut amener une bête pleine de puces qui pue sous la pluie.

Le temps a passé. Je suis allé vivre ailleurs, là où les sourds-muets sans instruction ne travaillent pas, ni à l'aréna ni sur les terrains de baseball. Je n'ai plus eu de nouvelles de Ti-Gus pendant longtemps. Suffisamment longtemps pour que son chien meure de vieillesse.

Puis un jour j'ai appris par le journal que Ti-Gus était mort, frappé par un train alors qu'il retournait chez lui. Dans l'entre-filet, le coroner précisait que la victime n'avait probablement pas entendu le train arriver. Moi, je pense plutôt que, lorsque le train s'est présenté, Ti-Gus n'a rien voulu entendre.

La lenteur

L a lenteur est l'hésitation de l'indécis et l'assurance du sage, la faiblesse du vieux et la force de l'eau, l'impuissance du malade dans son lit et l'autorité du professeur entre les bureaux, la menace du vautour et le réconfort d'une caresse, l'usure du vent et l'approche du fauve, l'inflexibilité du temps et la clémence de la clairière, la certitude de la destination et le doute de la destinée, l'âpreté de l'inexorable et la douceur du sable. La lenteur, c'est la célérité du masochiste et la jouissance de l'épicurien, le rythme de l'ennui et la pause du contemplatif.

La lenteur, c'est tout ça, le retard et le désir, c'est le voyage comme unique motif.

Et parfois, après un soupir, on se surprend d'être arrivé avant même d'être à quai.

Le fil

Devant moi, une classe vide. Quarante chaises. Quarante tables. Vide. Mélissa, comme toujours la dernière à terminer, venait de partir en me remettant sans mot dire son examen final. Elle ne m'avait laissé qu'un sourire timide pour cadeau de Noël. Fin de session. Quarante visages familiers que je ne reverrais peut-être jamais. Quarante visages qui auront toujours 17 ans.

Je suis resté assis devant l'écho de mes soupirs. Voilà deux semaines que je jouais, deux semaines que je faisais semblant que tout allait bien. Mon monde s'écroulait mais tout devait bien aller. C'était ma fin du monde. Ariane me quittait. À l'imparfait. Le verbe quitter se conjugue plus souvent au passé composé, comme si l'on ne s'en rendait compte qu'après coup. Pas cette fois. Ariane flottait lentement vers le large, comme un bateau quitte le quai, comme un train quitte la gare, avec cette douceur qu'on ne peut stopper.

J'avais mis beaucoup d'efforts pour que mes étudiants ne se rendent compte de rien. Mais parfois la concentration manquait. J'étais sur le quai, ils devaient répéter des questions auxquelles je n'avais plus de réponse.

Avant de rentrer chez moi, dans mon apocalypse, j'ai profité de l'isolement que la salle de classe m'offrait pour polir mon courage. Dans la brume, j'ai regardé l'examen de Mélissa. Son nom présentait une calligraphie ronde, chacune des lettres d'une couleur distincte, les pétales d'une fleur impossible autour du point du i. Adorablement, insupportablement adolescent. Dans le coin droit au bas de la page, elle avait dessiné un soleil derrière un nuage. Un soleil d'enfant avec un grand sourire et un clin d'œil entendu. Sous ce dessin, Mélissa avait écrit : «Derrière chaque nuage, il y a un soleil.» J'avais déjà lancé des roches à des amis pour des phrases de consolation moins ridicules. Mais, là, une larme s'est mise à couler sur ma joue. Mélissa avait tiré sur le fil qui décousait ma cuirasse. Une armure qui résistait aux flèches, aux boulets et au désintérêt, mais pas à ça.

Devant 40 chaises vides, j'ai pleuré.

La promesse des rails

Il a fait le tour de Bruges sans y penser, tel un chien sans odorat, à la manière de ces turbo-touristes à forfait « douze villes en une fin de semaine ». Une heure trente. Peut-être moins. Gare, prison, moulin, boutique de dentelle, bistro et pinte de blanche parce que ce serait sacrilège sans. C'était partout beau à rendre malade. Il a essuyé sa moustache de bière et est revenu à la gare en se faufilant entre les 15 843 vélos du stationnement. Ce jour-là, il aurait voulu la voir. Mais il fuyait, il coulait.

Depuis des jours, des hyènes lui grignotaient le cœur.

Il a consulté l'horaire des trains du côté flamand. De toute manière, même en français, il ne comprenait rien depuis des mois. Le prochain train pour Bruxelles passait dans quarante minutes. Il s'est assis sur un banc du quai, au bout de la voie, le bout par lequel il croyait que le train arriverait. Il a regardé l'horloge. Encore trente-neuf minutes. Il était dans une des plus belles villes du monde, il faisait beau comme c'était interdit en Belgique, et Éric tuait du temps à mains nues en regardant des voies ferrées faire semblant de se rejoindre à l'horizon.

Les rails font des promesses qu'ils ne savent tenir.

Sur un banc à sa droite, des amoureux s'embrassaient. Éric était le seul à entendre les hyènes rigoler tout près.

La chair à canon d'antan

Hier soir, en enlevant sa chemise, Ernest se regarda dans le miroir. Sur son biceps droit, un tatouage, reliquat d'une guerre d'un autre monde ; une femme avec des seins impossibles à cheval sur un canon. Le genre de truc qu'on regrette sitôt la première goutte d'encre injectée. Pour bien voir le tatou aux contours maintenant flous, Ernest dut étirer la peau avec sa main gauche. Il était difficile de tendre également la peau flasque, et la belle d'antan ressemblait à un phénomène de foire hors focus. Dès qu'il la relâcha, la femme se recroquevilla honteusement dans les mous replis. Ernest était devenu trop petit pour sa peau. Son regard s'emplit de buée.

Ernest soupira puis éteignit la lumière.

Le manteau écarlate

Il neigeait des flocons gros comme des scarabées ce jour-là. Je revenais de l'école en marchant, la tête par en arrière, la bouche ouverte et la langue sortie. Un mangeur de neige, un avaleur d'univers comme on peut l'être à treize ans. Je me rasais depuis quelques semaines dans l'espoir qu'une barbe pousse. J'étais un jeune adolescent qui rêvait de parler aux femmes une fois sa mue achevée. Pour le moment, quand je criais, on aurait dit Maria Carey, avant ses cours de chant.

Alors que je courais d'un flocon à l'autre, j'ai aperçu au loin la petite forme arrondie de ma grand-mère dans son manteau écarlate. À quatre pieds huit pouces, la couleur de son manteau était pour elle la seule façon de revenir de ses promenades sans avoir été happée par la souffleuse. Pendant quelques secondes, j'ai oublié mon orgueil d'ado et je suis redevenu enfant. J'ai couru entre les flocons en criant grand-maman. De ma gorge sortaient des chats qu'on égorgeait. Malgré mes cris, ma grand-mère ne se retournait pas. Elle ne bougeait même pas. Alors j'ai hurlé plus fort, j'ai couru plus vite. Rien n'y faisait. « Grand-maman ! Grand-maaaaaa-man !! » Je courais aussi vite que me le permettait la neige accumulée sur le trottoir.

Plus je m'approchais, moins il y avait de flocons qui nous séparaient, mieux je la voyais. Et tout à coup je me suis aperçu que ma grand-mère était… une boîte aux lettres.

La honte.

Je me suis efforcé de courir un peu au-delà de la boîte aux lettres pour sauver les apparences. Ensuite, je me suis remis à marcher sans vérifier si quelqu'un m'avait vu. Voir quelqu'un me regarder m'aurait trop fait honte. Alors j'ai crié moins fort deux ou trois « grand-maman » pour la forme, comme si depuis le début c'était une sorte de répétition pour une pièce de théâtre. Puis je me suis tu. Jusqu'à mes seize ans je crois.

Je n'ai jamais dit à ma grand-mère que je l'avais prise pour une boîte aux lettres. À treize ans, je savais qu'on ne pouvait dire cela à une femme, aussi grand-mère fût-elle.

L'assurance du doute

J'admire les gens sûrs d'eux, qui tergiversent peu, qui semblent distinguer rapidement les tenants et aboutissants dans toutes situations, même inédites. Avec eux, on a l'impression que, peu importent les vents, le bateau tiendra le cap. Et si jamais ce cap change, c'est qu'il y aura une bonne raison, qu'on y trouvera son compte.

Je ne suis pas de cette trempe. Je ne suis sûr de rien. Je doute de tout. Je me remets toujours en question, comme tout le reste d'ailleurs. J'ai ainsi le point final hésitant, une sorte de coda en trois petits points.

Peut-être pas, sûrement des fois, mais je n'en suis pas certain.

Enfin, pas toujours.

La foi a cette curieuse propension à nous quitter pour les mêmes raisons qu'elle vient à nous, comme beaucoup de femmes que j'ai connues.

Anticipation

— Ça y est, j'ai écrit une lettre d'adieu à mon ex.

Sans lâcher des yeux le verre qu'il remplissait sous la pompe, Alex a dit à Marc :

— Il était temps. Ça fait quoi ? Six, sept ans qu'elle est ton ex !?

— Na... a répondu Marc. Ça fait six ans qu'on s'est laissés et nous sommes sortis ensemble cinq ans. Ça fait donc onze ans qu'elle est mon ex.

— T'as besoin d'un boulier finnois je crois.

— Chinois, le boulier, monsieur le barman.

— C'est ce que je disais, a bafouillé Alex en déposant mon verre et en essuyant une tache invisible sur le comptoir. N'empêche que ça fait juste six ans, pas onze.

Marc a pris une gorgée puis a soigneusement posé sa bière sur le zinc afin de souligner l'importance des explications qui allaient suivre.

— Une fille, dès que l'on sort avec, c'est une ex. On dit tous : « Quand on sortait ensemble, mon ex faisait *gnagnagna*... » Mais, au moment où cette fille faisait *gnagnagna*, moment auquel on fait référence, on sortait avec elle. Il faudrait dire « ma blonde faisait *gnagnagna* ». Pourtant, on dit « mon ex ». Ainsi donc, CQFD, etc. Élémentaire, mon cher Jackson !

Devant cette philosophie, Alex, pourtant usé aux exposés alcooliques, avait ce regard qu'ont les poissons frits. Pas même la force de corriger le Jackson. Marc en a profité pour polir le tout.

— Ainsi, elles sont toutes des ex par anticipation, mais il ne faut pas leur dire quand on est avec… Je ne sais pas pourquoi, elles aiment pas ça ce genre de constat.

Alex fixait toujours Marc, l'air ahuri, puis, sortant de sa torpeur, il s'est frotté le nez en jetant :

— À ce que je vois, Marc, t'es un grand romantique… Dis, tu réfléchis toujours de même ou tu fais un extra pour moi ? L'alcool doit te reposer.

— En effet. D'ailleurs, je me sens un brin surmené, là. Je prendrais bien une autre petite relaxation en fût, *por favor*.

— Tu verras, celle-là aussi est déjà une ex. J'anticipe.

Déjà un trou

Déjà un trou?! Pourtant j'aurais parié qu'il était neuf. Ce matin, madame Fleurie avait oublié l'étiquette après son slip à motif. Et cet après-midi, un trou. Il faudra qu'un jour elle me raconte ses journées... Puis passe un mec. Sans intérêt. Puis madame Fesses. Mmmmm..., madame Fesses. Toujours fraîchement rasée. Elles sont rares mais il faut se méfier des femmes qui ne portent pas de culotte sous leur jupe; toutes des menteuses. Ou avocates. Puis passe une adolescente qui me semble bien galbée, une brunette je crois. Pas clair sous cet angle. Elle est attifée d'un pantalon qui, de plus, est trop ajusté.

— Hey la jeune, tu pourrais pas porter une jupe comme ta mère? C'est le printemps... dis-je en chantant.

Surprise, elle lance un cri, me crache au visage et déguerpit en se cachant les fesses.

— T'as un pantalon, épaisse! J'ai pas les lunettes rayons X de Bazooka Joe...

Je ricane un peu. J'essuie le morviat sur ma joue avant de réinstaller la couverture sous ma tête et de retourner au spectacle. Madame Brésil arrive vêtue de sa jupe rouge. Hé! Hé! Dire que la plupart des passants qui me voient ainsi couché tout aviné sous l'escalier métallique s'attristent de mon sort. Les cons.

Ils n'ont pas idée de la douceur des joies de mai, à travers les lames d'une marche d'escalier.

Loft-moi

Je m'appelle Marie-Alex, mais, si tu m'appelles Marie, je dis oui pareil. J'ai 22 ans d'âge. Mes amies disent que j'en parais juste 20 car j'ai toujours eu l'air jeune, genre! Hi! Hi! J'étudiais pour devenir professeure au primaire, parce qu'à mon école les profs étaient tous vieux et que moi, b'en, je suis jeune. Mais j'ai lâché l'école parce qu'à l'université les profs parlent avec des longs mots avec des lettres qui rendent les choses trop compliquées pour rien. Comme si c'était ça être professeur, tsé. Alors je suis célibataire aussi. Hi! Hi! J'attends de trouver un gars cool, drôle, capable de me faire rire. Beau aussi. Surtout. Le prince charmant, genre. Mais avec un char neuf. Hi! Hi!

Depuis trois semaines, je vis la plus belle expérience de vécu: je suis dans le Loft. Le vrai. Celui de la télé. Je suis enfermée dedans avec d'autres enfermés: des filles p'is des gars du sexe opposé dans un genre d'appartement avec plein d'objectifs fixés sur nous autres. J'ai toujours rêvé d'avoir des objectifs. On peut dire qu'ici j'suis servie. Hi! Hi! C'est cool! Tous les jours, le Québec au complet peut me percevoir. Le réalisateur de l'émission nous donne rien à faire. On n'a même pas une télé ou un journal pour faire les mots cachés ou lire l'horoscope. On a juste nous pour nous distraire. C'est pour faire ressortir notre personnalité. Les journées sont plates. Alors quand le réalisateur nous dit des choses dans les haut-parleurs, on dit oui pis on écoute. Si la voix dit rien, on fait rien encore. Mais, si la voix dit joue, alors on jouit! Même les gars capotent! Hi! Hi! C'est trippant parce que tout est décidé à notre place.

On n'a pas de questions à se poser, et moi, j'aime ça. Alors c'est full cool! Hi! Hi!

Dans le loft, on est six filles. Toutes des agace-pissettes. Mais moi je suis pas une agace-pissette, non. Hi! Hi! Mais les autres girls sont mes amies pareil. Surtout parce que j'ai pas le choix. Hi! Hi! Entre filles du loft, on se dit tout et on est toujours dans le dos des autres pour s'aider parce que si c'est pas facile pour moi, pourquoi ça le serait pour elles? P'is si je suis choisie pour faire une activité, un voyage genre, comme deux ou trois jours tout compris dans un tout inclus avec un gars full cool que je ne connais pas, b'en je trouve que je le mérite. J'ai été choisie une fois. J'ai pleuré un peu parce que je travaille fort pour rien faire comme il faut.

Une fois par semaine, les gens qui regardent le loft peuvent éliminer un gars ou une fille internée car on est trop. Le but de l'émission est de sortir les enfermés jusqu'à ce qu'il y ait plus de contenu. C'est difficile p'is stressant, genre, parce qu'on sait jamais quand ça va être notre tour de faire le vide. J'espère que je vais gagner quand même.

Même si je suis libre quand je fais rien dans le loft, je me suis pas encore fait écarter, parce que j'ai une image, je suis d'une beauté. D'ailleurs, en passant, je remercie les téléspectateurs qui me regardent et me trouvent belle. Je remercie mes parents aussi. Surtout pour mes seins qu'ils m'ont donnés pour mes 18 ans. Je vais pas les oublier, je vous jure! Je promets aussi à tout le monde que je vais continuer à me forcer fort.

Quand je vais sortir du loft, le monde va me constater dans la rue. Ça va être trop cool! Les gens vont dire: «Hey! C'est toi?» et je vais dire «Mets-en!» parce que ça va être moi qu'ils vont avoir vue. Je vais être, genre,... En tout cas. Hi! Hi! Puis je vais pouvoir en profiter pour emmerder les gars qui pensent trop sur l'émission, comme, et qui me réfléchissent. Sont tellement caves!...

Je sais pas si le poste de télé va faire un Loft 2 l'an prochain, genre. Mais, si oui, les gens vont comparer avec moi p'is ils vont dire que j'étais meilleure, c'est sûr. J'espère juste que les gens vont pas m'oublier. Parce que les gens ne durent pas toujours. Mais, s'ils m'oublient, je suis sûre que je vais pas mourir. En tout cas, je pense.

Lundi, 18 h 10. J'ai rendez-vous avec Anne, une amie de longue date que je n'ai pas vue depuis trop longtemps. Notre amitié est l'exemple parfait du genre de fréquentation qu'on se promet de ne jamais perdre de vue mais qu'on égare tout de même au détour d'une nouvelle copine, d'un nouveau travail ou d'une dépression un peu accaparante. Anne et moi, on s'est perdus comme ça, sans trop s'avoir comment ; un jour je me suis retourné et elle n'était plus là.

Puis on s'est revus lors d'une soirée chez des connaissances communes. On s'est alors promis une bière en duo, comme dans le temps. On a sorti les agendas. Lundi, 18 h, Petit Medley.

C'est là où je suis. Il est 18 h 10 et Anne n'est toujours pas arrivée. La place semble sympa. En retrait, écrasées par leur cravate dans des fauteuils, quelques personnes boivent leur verre en riant. Je commande un truc, n'importe quoi, en pointant au hasard une ligne de la carte des *drinks* offerts par la maison. Je reçois une pinte de bière d'où émane une légère odeur de clou de girofle. Je regarde ma montre, j'ouvre le *Voir*, je passe le temps. À 18 h 45, après avoir lu tous les titres-jeu-de-mots de l'hebdomadaire, j'appelle Anne, pour voir si j'attends en vain. Pas de réponse. Je suppose qu'elle est en route. Je commande une bière qui sent la bière cette fois. Old style. Je demande un stylo à la brune serveuse, sympa et discrète comme je les aime. J'entreprends d'écrire ce qui me passe par la tête. Comme je n'ai pas mon carnet, j'écris sur les pages plus claires de l'hebdomadaire en commençant par l'annonce d'American Apparel qui suinte une sexualité pubère, ingénue et surléchée à force de ne pas vouloir l'être. Insupportable. J'écris des mots, puis des idées, puis un bout de chapitre... Une fois la pub remplie, j'en cherche une autre. Je trouve une page vide, une sorte de pub sur la psychihahahatrie, que je remplis aussitôt. Et ainsi de suite, de pub en pub, j'ai écrit comme lorsque je voyage à l'étranger, dans un lieu public où personne ne me connaît, perché sur ce merveilleux poste d'observation qu'est le tabouret près du zinc.

À 20 h 45, j'ai mal au poignet, mon troisième verre s'assè-che, et Anne n'a toujours pas rebondi. Je fixe un pourboire au stylo que je laisse sur le bar, puis je pars avec mes bouts de récits écrits sur du papier journal comme autant de thérapies, libre, léger. Anne ne s'est jamais pointée car, elle me l'avouera plus tard, elle avait oublié.

Je l'en remercie. Son oubli m'a permis de passer une superbe soirée avec une personne que j'avais perdue de vue depuis trop longtemps.

Jean-Pierre parle finnois

Étant donné qu'il a vécu cinq ans avec une Finlandaise, Mirja, une jolie blonde qu'il avait fiancée un jour humide de juin, Jean-Pierre parle finnois. Il a appris la langue par amour, pour comprendre à quoi Mirja rêvait quand elle parlait dans son sommeil, pour savoir ce qu'elle disait de lui à ses amis au téléphone. Alors il a appris en cachette cette langue pleine de K et de trémas, avec des petits guides bilingues pour touristes qui désirent trouver l'hôpital le plus proche ou faire un appel à frais virés.

Après cinq ans d'apprentissage, Jean-Pierre a compris que Mirja ne rêvait qu'à des acteurs américains et qu'elle ne parlait jamais de lui à ses amis. Parler finnois ne lui aura permis qu'à la laisser sans grands regrets.

Aujourd'hui Jean-Pierre parle finnois. Ça ne lui sert à rien, mais il en est très heureux.

Mstislav

Avant d'ouvrir la porte, je regardai ma montre: 9 h pile. L'homme faisait honneur à sa réputation de ponctualité parfaite. Je reconnus tout de suite l'accent slave avec lequel j'avais pris rendez-vous quelques jours auparavant.

— Bonnjhour, Dâniel. Je souis Mstislav. Je souis ici pour plancher de couisine.

Ma main droite se perdit alors dans une immense paluche qui, en d'autres temps, aurait pu étrangler trois Kazaks d'une seule poigne, puis je me collai au mur pour laisser passer cette masse de muscles slaves qui traînait derrière elle une sableuse à plancher de près de 200 kilogrammes comme si c'était un sac de golf.

Une fois dans la cuisine, l'homme s'agenouilla, flatta les lattes noircies par des années de prélart, puis renifla le plancher dans une position rappelant la prière musulmane. Je souris discrètement devant l'amusant manège. Mstislav resta dans cette position étrange suffisamment longtemps pour que j'en ressente un léger malaise. Au moment où je me décidais de partir dans une autre pièce pour laisser le Russe à sa méditation, il lança d'une voix forte mais posée:

— Chêne. 80 ans. Prélart depouis 50 ans. Peu colle. Beaucoup cire. Plous de travail. Au moins oune heure avant couche.

Il inspira puis laissa tomber, comme si c'était dans l'ordre normal des choses:

— Il y va avoir soupplément.

J'étais incapable de saisir si c'était une blague, une menace, une promesse ou un simple constat. Sans attendre une réponse de ma part, il posa un masque sur son visage, brancha la bête chromée qu'il avait apportée avec lui, se sangla à elle, l'aligna avec les lattes, et fit basculer l'interrupteur. Le bruit et la poussière me chassèrent et je laissai le colosse à son ouvrage.

Depuis le salon, j'entendais la sableuse arrêter et repartir à intervalles réguliers. Pendant chaque silence, j'entendais l'homme parler doucement en russe, comme s'il dialoguait avec le plancher. Soudainement, il cria :

— Dâniel !

Je sortis de mon refuge. Dans un nuage de poussière de bois, l'homme était appuyé sur son engin maintenant recouvert d'une poudre beige.

— Je vais aller boire, dit Mstislav en toussotant. Pour poussière, précisa-t-il. Je revenir vite et poursouivre travail. Puis il sortit par la porte arrière.

Un peu moins de la moitié du plancher avait été sablée et sa nouvelle allure me confirmait que j'avais fait le bon choix, mais les 90 minutes qu'avait exigées le sablage de la première moitié de la surface n'annonçait rien de bon quant à la somme au bas de la facture que me tendrait bientôt le Russe.

Mstislav revint 10 minutes plus tard avec une énergie nouvelle. Sans dire un mot, il reprit son poste derrière l'engin. Au moment où il mit le contact, je crus constater un éclat nouveau dans ses yeux et il me sembla que sa rosacée avait légèrement augmenté. J'attribuai cela à la probable rasade de vodka qu'il avait dû se glisser dans le gosier pendant sa pause puis j'allai vaquer à d'autres occupations pendant qu'il entreprenait la seconde moitié du plancher de la cuisine.

Comme pour la première moitié, son travail fut entrecoupé de moult pauses où le Russe parlait au parquet de plus en plus fort. Au quatrième arrêt, Mstislav se mit à vociférer si fort que je n'osai sortir du salon de peur de ne pas y revenir vivant.

— Что вы, дорогой любви, я зайду ромашки песни птиц! Мы будем делать детей в поле цветы цвет ваших глаз!

Mstislav continua à engueuler ce que je supposai être le plancher pendant trois minutes avant de tranquillement s'essouffler et de repartir la sableuse. Mais l'appareil se tut quelques secondes plus tard et laissa place à un lourd silence. Ce silence dura longtemps, si longtemps que je crus nécessaire d'aller voir à la cuisine ce qui s'y passait.

Quelle ne fut pas ma surprise de trouver le géant slave le front appuyé sur ses avant-bras, pleurant silencieusement de grosses larmes qui lui dessinaient des coulées propres sur ses joues couvertes de poussière. Je restai paralysé, muet, à quelques mètres d'un homme empreint d'une incroyable peine, trop loin pour le consoler mais trop près pour faire semblant de n'avoir rien vu.

J'aurais parié qu'en m'apercevant Mstislav se serait ressaisi maladroitement et aurait rougi de malaise. Mais le grand Slave se rua plutôt dans mes bras pour se faire consoler. À cause de sa carrure et à cause de ma surprise, je pouvais à peine lui donner de petites tapes empathiques dans le dos. Sa musculature n'avait d'égale que ma surprise. Entre deux sanglots, Mstislav me dit :

— Je souis désolé, Dâniel...

— ...

— ...

— Désolé de quoi, Mstislav ?

— Je ne pouvoir pas… finir… sabler plancher !

Puis Mstislav hoqueta de nouveaux pleurs puis se calma.

— Je fais plancher depouis 20 ans. C'est première fois que je fais comme oune femme.

Je ne pus retenir un haussement de sourcils empreint de surprise.

— Que veux-tou… veux-tu dire ?

Il resta silencieux, la tête sur mon épaule. Je tentai de l'obliger à se redresser en repoussant ses épaules mais j'étais forcé d'admettre que j'étais sous sa masse, à sa merci. Heureusement, il comprit mon malaise et se releva.

Mstislav sembla revigoré par ma question et, quelques secondes plus tard, il eut été impossible de deviner que cet homme pleurait à chaudes larmes sur son appareil peu de temps avant.

— Vous avez déjà vou oune femme sabler plancher, Dâniel ?

Je regardai mon plancher de cuisine et dus admettre que c'était le premier que je faisais sabler. Il m'était donc impossible de savoir si des femmes avaient pour gagne-pain le métier poussiéreux qu'exerçait mon géant pleurnichard.

— En effet, je n'ai jamais vu de femme sabler de plancher. Peut-être est-ce parce que le travail est physiquement trop exigeant pour elles ?

Mstislav parut me trouver très drôle et il se montra heureux de mon ignorance.

— Chez moi, ma femme battre moi si je dis âneries comme ça, dit-il, moqueur.

J'essayai d'imaginer sa femme et, honnêtement, j'eus un frisson.

Il entreprit alors de m'expliquer sa théorie sur ce qui em-pêche la femme d'aspirer à donner la douceur des fesses d'un nouveau-né au bois franc des salons.

— Le plaisir de les femmes, c'est changer ce qu'elles ont. Elles ont formidable visage ? Elles maquiller. Elles ont maison ? Elles changer couleurs les mours. Les femmes aimer changer les choses. C'est pour ça que, dans l'amour, les femmes préférer les... comment dire... мошенник...

Je devinai où il voulait en venir et je traduisis sa pensée.

— Voyou ? Brute ? Bandit ?

— Ha ! Ha ! Tout cela, da ! Les femmes aimer voyous parce qu'elles aimer pouvoir changer voyou. Plous elles ont choses à changer, plous elles sont heureuses. Mais jour venir où les femmes obliger d'affronter vérité : мошенник rester мошенник, malgré cravate, parfum et rasoir avec cinq lames.

Je trouvais amusante sa petite réflexion, mais je voyais mal en quoi elle s'appliquait aux planchers. Mstislav comprit qu'il devait aller plus loin dans ses explications.

— Écoute, Dâniel. Pour sabler plancher, il faut aimer plancher. Moi, j'aime les femmes, la vodka et les planchers. Je pouvoir connaître les gens en regarder son plancher. Personne pouvoir sabler plancher si pas amoureux de plancher. Travail trop dour et trop ennouyant sinon. Mais il y a plancher qu'on pouvoir pas sabler : trop cire, trop colle, trop clou, trop n'im-porte quoi. Et il faut savoir dire : ce plancher pas pour moi. Si femmes sabler plancher, elles sabler n'importe quel plancher, sourtout les planchers n'importe quoi.

Mstislav s'arrêta brusquement sur cette parole et se ren-frogna d'un coup, perdant en une seconde tout l'entrain qu'il semblait avoir retrouvé. Il regarda la surface de la cuisine, à moitié claire, à moitié noire.

— Je... J'avoir mal jougé le plancher. Il n'êtrait pas pour moi. Comme femme, je penser être capable de changer son natoure. Mais natoure être profond. Trop difficile. Je briser mon dos, je briser ma machine, je briser mon moral.

Une main sur sa ceinture, Mstislav se frotta longuement les arcades sourcilières avec le pouce et l'index. Il semblait être en proie à un terrible dilemme intérieur qui dura quelques secondes. Puis il lança, sans me regarder :

— Mais je ne pouvoir briser mon répoutation.

Sans gêne, il sortit son flacon de vodka, la but d'un trait et expira un long haaa ! comme s'il se libérait d'un formidable boulet. En remettant le flacon dans sa poche, il dit en souriant :

— Toi savoir que femmes coûter cher...

Le grand Russe me fit signe de la main de m'écarter. Et, au moment de remettre en marche la sableuse, Mstislav ajouta tout bas :

— Il y va avoir soupplément.

J'aurais aimé mourir de vieillesse

Autrefois, quand les vieux s'éteignaient, on disait qu'ils mouraient de vieillesse, comme si le grand âge était en soi une raison suffisante pour mourir, comme si l'usure du temps finissait immanquablement par nous percer.

— Maman, il est où monsieur Verreault?

— Au ciel avec madame Verreault.

— Pourquoi il est au ciel?

— Parce qu'il était vieux.

— Ah. C'est triste. Il était gentil, monsieur Verreault.

Aujourd'hui, on ne meurt plus de vieillesse. On meurt de sarcome mésenchymateux, d'infarctus du myocarde, de pneumonie à infection pneumococcique. Ainsi, même très vieux, ce n'est plus normal de mourir. Il nous faut une raison, un rapport d'autopsie, une analyse de la défaillance. Puis on dit: mon Dieu, c'est con mourir d'une pneumonie alors qu'il n'avait jamais fumé.

— Maman, il est où monsieur Verreault?

— Dans une urne, je crois.

— Pourquoi il est dans une urne?

— Parce qu'il est décédé d'une thrombose veineuse profonde, à la suite d'une complication aiguë – une embolie pulmonaire je crois – et d'une complication secondaire, le syndrome post-phlébitique. Ç'aurait pu être évité, mais bon, monsieur Verreault n'était pas fort fort sur les visites chez le médecin, et il négligeait un peu sa santé...

— Ah. Il était con, monsieur Verreault, hein maman?

Aujourd'hui, on aura beau respirer jusqu'à l'âge de trois cents ans, plus jamais on ne pourra mourir de vieillesse.

J'aurais pourtant aimé ça.

Blues

Je devais avoir seize ou dix-sept ans quand j'ai éprouvé mon blues pour la première fois. Je ne me souviens pas des circonstances exactes entourant cette rencontre, mais cet immense vide ne m'a jamais quitté. J'ai dû apprendre à fuir. Sans grande ardeur, au début. Le blues me rattrapait souvent, me faisant trébucher chaque fois. Puis, peu à peu, j'ai pris le rythme, j'ai établi la cadence nécessaire pour garder mes distances. Ainsi, pour marcher plus rapidement et enjamber les marées basses, j'ai appris à faire de grands pas.

J'ai fui d'abord dans ma tête; je me suis instruit, coincé au creux de livres qui sentaient l'humidité. J'ai pris des cours de statistiques, de comptabilité et de marketing. J'ai décroché des diplômes de plus en plus prestigieux pour les accrocher au mur d'une entreprise à leur hauteur. Mais, très vite, le blues m'a regagné. Alors j'ai travaillé à aller plus loin devant la virgule, à cultiver l'argent. J'ai profité scandaleusement. J'ai frôlé les palmarès des magazines économiques, mais j'avais besoin de plus.

J'ai marié un mannequin qui produisait des pensées légères et une ombre très fine. Je ne m'achetais que des huit cylindres, je ne buvais rien de moins de cinquante ans, je pariais la chemise des autres sur des tapis verts au cœur des déserts. L'argent venait, poussait, gonflait. Mais, au moindre moment d'arrêt, au moindre souffle que je reprenais, le bleu ressortait sous la dorure.

J'ai tout quitté. Je me suis laissé pousser la barbe. Je me suis tatoué le bras gauche du visage du Che. Je distribuais mon argent, tandis que je perdais cheveux et kilos. Mais je gagnais des causes. Je participais à des manifestations politiques contre le virage à droite, la peine de mort et la restauration rapide, contre l'avortement, les OGM et les tondeuses à gazon, contre ceux qui étaient contre ce pour quoi j'avais été pour, contre ce que je serais toujours s'il n'y avait pas eu ce blues pour m'obliger à bouger. J'ai été menotté à Seattle, poivré à Vancouver, gazé à Québec. Je me suis battu aux côtés des pauvres et des poilus, des sales et des tondus. Malgré les causes et les coups de matraques, je me suis lentement recroquevillé. Je suis devenu macrobiotique. Je mangeais yin, buvais yang, méditais en lotus et me parfumais au patchouli. Puis j'ai rencontré Maude.

Pour elle, j'ai tout laissé en plan. Avec elle, j'ai quitté le temps. Nous nous sommes trouvé un voilier pour profiter de notre souffle, pour faire un tour du monde qui s'est arrêté aux Açores. C'était assez loin pour me sentir présent. Je lui ai fait l'amour sans compter, sans remords, puis sans effort. Ensuite je lui ai fait un enfant. Mais, malgré les premiers pas, malgré les premiers mots, malgré les bouffées de bonheur et les rires abandonnés, tout cela n'était pas assez. Jamais assez. Et comme un salaud, comme bien des hommes et beaucoup trop de femmes, je suis parti avec pour seule excuse la retraite.

Je suis revenu dans le quartier de mon enfance, au nord, à la surface d'une taverne, au fond d'un verre de bière, lessivé, le regard essoré, les cheveux javellisés. J'ai descendu bas, jusqu'en enfer, jusqu'à Dieu, jusqu'aux AA. Puis j'ai cru. Fort. Profondément. Pour mon pardon, pour mon salut.

Ce matin, le blues s'est éveillé à mes côtés. Je n'ai pas tenté de l'enjamber, de le maquiller, de lui faire pousser une barbe ou de le glisser sous des rires d'enfants sur une plage au cœur de l'océan. Je savais tout cela vain. J'ai alors abdiqué. Je suis resté étendu où j'étais, sur le flanc, épuisé, vidé. Comme la bouteille de somnifères sur ma table de chevet.

La bulle de Nitro

Il s'appelait Antonio, mais, depuis toujours, tous l'appelaient Nitro. Ses parents, ses amis, toutes celles qui ont partagé un tant soit peu sa vie l'appelaient comme ça parce qu'il explosait pour un rien. L'étincelle était facile, la mèche, courte. Comme s'il protégeait une plaie, tel un loup blessé. Tous pouvaient s'appuyer sur lui pourtant, mais il n'était pas reposant pour autant.

Il vivait comme dans la chanson de Neil Young « Na, Na, Hey, Hey », il préférait exploser que tranquillement s'effacer. Et quand le feu à l'intérieur de lui le faisait trop souffrir, il allait l'éteindre à grands coups de vodka au bar du coin. Certains soirs, les coups de vodka cédaient le pas aux coups de gueule, puis aux coups de poings. Avec le temps, ces soirs lui ont valu des cicatrices enviables et un nez un peu croche.

Toujours est-il que, depuis quelque temps, Nitro n'explose presque plus. Parfois pour le souvenir, une sorte de nostalgie blessante qu'il regrette aussitôt. Mais il continue à boire de la vodka comme un pompier qui arrose une vieille grange abandonnée un soir d'été trop calme, question de ne pas perdre la main. On n'est jamais trop prudent. Car cette fois-ci Antonio s'est bien promis de ne pas crever la fragile bulle sur laquelle il flotte depuis un moment.

Souvenir

Assis sur le quai, les jambes pendantes, les orteils effleurant la surface du lac, j'écoutais respirer cette vie qui m'entourait. La brise sculptait des vaguelettes et à cent mètres flottait un huart. De l'autre côté, un pic-bois perçait des trous, et tout proche un animal invisible faisait crisser les feuilles mortes. Un coin de paradis. Un coin où il faisait bon aller en pénitence.

Sur mon épaule, j'ai senti sa main se poser. Ses seins se sont pressés contre mon dos. Je gonflais de bonheur. Tout en regardant l'eau du lac, j'ai posé ma main sur la sienne. Je n'ai senti que la peau de mon épaule.

Mon corps avait eu un souvenir.

On est généreux. On leur donne le fond de nos poches avec quelques boules de sécheuse en leur faisant promettre de ne pas les rouler dans du papier à cigarettes. On leur donnerait plus, mais on a besoin du reste. On n'ira pas jusqu'à leur donner la main ; ils sont toujours un peu sales. On voudrait qu'ils soient propres, qu'ils soient bien coiffés, qu'ils soient polis, brillants, articulés et, quand ils le sont, on ne leur donne plus rien car ils semblent s'en être sortis. S'ils sont trop comme nous, on leur botte le cul, on leur dit que la rue n'est pas leur place, que le béton est réservé à ceux qui ont une joue collée dessus, l'autre sous une semelle de policier. Alors ils restent souillés, déchirés, marqués. Ils creusent, se terrent. Ils font des trous. Des trous dans leurs vêtements, dans leurs murs, dans le sol où ils restent assis, bien blottis contre une fille aux yeux trop rouges, contre deux ou trois chiens aussi pouilleux qu'eux, contre une société dont ils sont un reflet aveuglant. On leur lance parfois de la monnaie, mais on ne leur donne rien ; on s'achète la liberté de ne pas se sentir concernés.

Ils se rassemblent dans des endroits glauques et visqueux, comme des mouches dans le coin d'un œil malade. Ils tendent la main pour ne pas tendre le doigt, et ils crachent sur nos tôles chromées pour se faire croire qu'elles ne leur rouleront jamais dessus. Ils revendiquent des territoires en se criant des injures, en s'arrachant les anneaux des oreilles, du nez, des seins, puis montrent leurs cicatrices pour prouver qu'ils existent. Ils nous regardent par en dessous comme des enfants qui ont hâte d'être grands pour se venger. Ils nous regardent par en dessous au moins aussi souvent qu'on les regarde de haut, d'où on laisse tomber des jugements hâtifs, pressés d'en finir, comme des obus d'une guerre illégitime.

Le soir, pendant qu'on se cache, qu'on s'éteint derrière des écrans, ils avalent n'importe quoi pour oublier qu'ils nous haïssent jusque dans leur moelle. Et à l'orée de la surdose, sous une tonne de vapeur, camouflés derrière des sirènes qui annoncent des jugements en uniforme, ils marmonnent des incantations inintelligibles, des prières de colère dédiées à un ciel bas comme le plafond d'un demi sous-sol.

Les parasites ne croient plus en rien ni en personne. Ils préfèrent téter notre argent. Il n'y a rien d'autre à tirer de nous.

Microbes

J'ai entendu quelque chose frapper la fenêtre de la cuisine. C'était un chardonneret. La couleur de son plumage tranchait sur celle de la galerie. Il gisait là, assommé par son illusion. Le ciel se confond souvent avec son reflet dans une fenêtre trop propre et les oiseaux s'y frappent tous un jour ou l'autre. Depuis que j'avais acheté ce chalet avec Ariane, j'en ai vu des dizaines le faire. Chaque fois, ils en ont pour quelques secondes puis ils se réveillent, semblent se demander où ils sont, ce qui s'est passé. Ils recouvrent leurs esprits et repartent. Ce chardonneret en fera autant, mais, par pitié, je suis sorti pour le mettre dans un endroit où il pourrait prendre tout son temps pour se réveiller sans servir de lunch au chat habituellement aux aguets. En le soulevant, j'ai compris que c'était peine perdue. Le choc lui avait rompu le cou. Il avait laissé quelques gouttes de sang par terre. Une ou deux. Pas plus. Parfois, c'est suffisant pour mourir. J'ai soupiré.

Je me suis trouvé un peu ridicule de vouloir enterrer ce petit oiseau, mais je ne pouvais me résoudre à l'abandonner dans les bois ou dans le sac à ordures avec des restes de poulet.

Je n'ai pas eu le temps d'aller chercher une pelle. La sonnerie du téléphone a retenti. Après cinq coups, j'ai cédé. J'ai répondu en tenant le défunt ailé par une patte.

— Tu en as mis du temps à répondre! T'étais au lac?

C'était Ariane. Nous ne nous étions à peu près pas parlé depuis notre rupture, il y a un mois.

— Ça va très bien, merci. Et toi?

— Euh... Oui... M'enfin... Écoute Pat, je sais que ce n'est pas super délicat de ma part, mais j'aimerais aller au chalet cette fin de semaine et je me demandais si...

— Avec Chose ?

— Euh... Oui, avec Jim. Il s'appelle Jim.

— Non, il s'appelle James. Jim, c'est le diminutif. Et, pour moi, Jim, ce n'est pas encore assez diminué, alors je l'appelle Chose...

Je pourrais aussi l'appeler Microbe, Cellule, Électron...

— Bon... Ouais, avec James. On sera là vendredi soir.

— Mais tu as toujours détesté cet endroit !

Quand je pense à toutes les stratégies que j'avais utilisées pour la convaincre d'acheter ce chalet pour ensuite toujours y aller seul. Je m'étais fait à l'idée. Maintenant que nous étions séparés, je pensais racheter ma part à Ariane. Ce chalet me revenait *de facto*.

— Oui, mais là je veux y aller. Ça serait mieux si tu n'y étais pas...

— Ça, je l'avais compris. De toute manière, notre chalet continue de tuer les oiseaux.

— Qu'est-ce que tu racontes ?

— Rien, rien. Est-ce qu'il y a d'autres endroits d'où tu vas me chasser ou si c'est le dernier ?

— Pat...

J'ai raccroché. C'est fou le silence après la mort d'un oiseau. Je suis sorti et j'ai ouvert le caisson du BBQ au gaz. J'ai glissé mon cadavre à poux sous les briquettes. Microbe était sûrement du genre à se faire des grillades quand il allait au chalet.

Semblant, ensemble

Nous faisons semblant de ne pas savoir que nos amis parlaient de nous quand nous revenons des toilettes, comme nous faisons semblant de parler d'autres choses quand un ami revient des toilettes.

Tout le monde le fait, et tout le monde continue de faire semblant, et tout le monde continue de croire que, même s'il le sait, les autres ne le savent pas.

C'est con, mais c'est comme ça.

Après, les gars s'étonnent que les filles aillent aux toilettes ensemble.

Henri

Henri habite seul dans un petit deux-pièces qu'il sait son dernier. Quand je vais le voir, nous bavardons un peu, écoutons beaucoup, les nouvelles télévisées surtout. Henri aime être informé des événements.

Avant sa retraite, Henri a été informaticien, un des premiers spécialistes de ces immenses trucs capables de miracles pour l'époque. Des pans de murs animés de bobines et de diodes rouges et vertes, des armoires grises qui occupaient des étages entiers, des calculateurs un peu inquiétants dans lesquels Henri pouvait entrer le corps au complet quand il devait les réparer. Puis, tranquillement, les appareils ont commencé à rapetisser. Plus ces bêtes se réduisaient, plus il était ardu de les comprendre. Bien sûr, Henri n'y rentrait plus au complet, et il a appris à rester en surface des choses. C'était juste avant sa dépression.

Aujourd'hui, Henri me raconte son métier et regarde sa montre. Ce petit boîtier de rien du tout est capable de calculer ce qu'un étage de monstres à bobines ne parvenait à produire en 1970. Mais plus personne ne peut la réparer, comme plus personne ne le fait avec les ordinateurs. Au mieux, le plus vaillant des techniciens changera une pièce, mais jamais il ne la réparera. La nuance est immense.

— Aujourd'hui, lance Henri presque à lui-même, quand c'est brisé ou usé, on jette.

Puis Henri redevient silencieux. On fait semblant de prêter attention à Bernard Derome, mais on écoute le vide, on écoute le fracas d'une vie que personne ne réparera et qu'on aura remplacée demain.

Curieux ce réflexe que j'ai toujours à l'ordinateur d'effacer le moins de lettres possible quand je corrige les mots mal orthographiés. Chaque fois, j'ai l'impression d'éviter du gaspillage.

Quelque part au fond de moi, un écolo virtuel se plaît à croire que, si dans dix ans il reste encore quelques lettres à mettre sur les écrans, ce sera un peu grâce à ces petits efforts quotidiens.

La paix d'Yvon

Yvon n'a jamais appris à haïr. On lui a montré à être conciliant et gentil, à trouver du beau dans chacun, à refouler ses frustrations, car tout était de sa faute toujours, de l'oncle pervers aux assiettes échappées. Petit, il était toujours un des rois mages dans la crèche vivante, sauf en troisième année, où il a incarné l'âne. Le surnom lui est resté. Yvon n'en voulait à personne même si le soir, dans son lit, il priait fort pour ne pas retourner à l'école le lendemain. Et, un lendemain, il n'y eut pas d'école, car son père était décédé durant la nuit d'une étrange maladie. En 1950, les gens mouraient comme ça, sans avertir. Alors, l'orphelin de père n'est jamais retourné à l'école et s'est trouvé un boulot car il fallait bien que ses frères puissent aller au collège. Le matin du deuxième jour, un collègue a reculé son camion pour faire une blague à Yvon, occupé entre deux pare-chocs à décharger des marchandises. Le collègue n'a pas su arrêter la blague et Yvon s'est éclaté un genou. Depuis, il marche en code morse, un petit pas, un trait, un petit, un trait, comme s'il tapait la lettre A de ses souliers. Mais Yvon n'en veut pas à son collègue, car il n'a pas fait exprès. Le collègue en a longtemps voulu à Yvon car par sa faute, parce que l'âne n'a pas eu le réflexe de s'enlever de là, il a perdu son boulot.

À l'hosto, personne n'est venu voir Yvon. Enfin si, une fois ou deux, pour la forme. Mais jamais longtemps car Yvon n'avait pas de conversation. Il souriait seulement, comme on lui avait appris. Il a ainsi eu tout son temps pour écrire des poèmes, des poèmes pour la paix qu'il les appelle, des trucs pleins de fautes calqués sur des prières prémâchées que les gens bien rabâchent sans y penser le dimanche matin. À sa sortie de l'hôpital, il a essayé de les vendre en frappant sur porte close après porte fermée. Certains lui criaient de se trouver un boulot, d'autres riaient de son initiative, tous gardaient leur monnaie pour eux. Yvon les remerciait tout de même, en leur souhaitant une bonne journée. Quand il s'en allait, les gens se disaient qu'il n'avait sûrement pas d'amis à être ainsi gentil, sans se douter à quel point ils avaient cruellement raison. Yvon n'avait qu'un centre d'accueil, où ses «amis» lui volaient ses chaussures la nuit. Les responsables le priaient de se défendre, de ne pas se laisser faire, mais c'était au-dessus de ses forces, et ce n'était que des chaussures, après tout. Rien ne servait d'en vouloir aux autres qui devaient bien, quelque part dans un coin d'ombre, être gentils eux aussi.

Yvon n'a jamais fait de mal à une mouche. La seule chose qu'il avait, le cœur, aura flanché un peu tôt. En trente-deux ans, Yvon n'aura jamais appris à haïr. Pourtant, ce n'est pas parce qu'on n'avait pas essayé de lui montrer.

Fast food

Elle était assise là, incroyablement, immanquablement présente. Elle parlait et riait fort, comme une enfant en manque d'attention. Des effluves tenaces émanaient d'elle et s'imposaient sur un rayon incroyablement important. Un parfum haut de gamme, vertigineux. Il pesait aussi lourd que le reste sur l'atmosphère sans contribuer à un quelconque réchauffement. Dans toute cette fumée, elle donnait l'impression de se gaspiller en s'éclatant de la sorte.

Déjà elle racolait tout ce qui avait des couilles autour de la table à coups de farces grasses et de rires trop appuyés à la moindre blague. Elle se croyait dépositaire d'un charme irrésistible. Un *fast food* du charisme.

Je ne la connaissais que depuis quelques minutes – et encore, que de vue –, mais déjà j'avais des envies passibles d'emprisonnement.

En attendant que la mauvaise météo passe, je suis allé m'accouder au bout du bar. Oasis, tourelle, phare. Je suis resté juste pour voir lequel de mes amis sombrerait dans la facilité, se laisserait séduire par cette reine de la consommation rapide.

Il aura fallu plus d'une heure, mais elle est partie seule.

J'ai payé la tournée.

Loser

Les bras chargés d'une dernière boîte, elle ferma la porte doucement. Appuyé sur cette dernière, il écouta le bruit de ses pas dans l'escalier. La sixième marche grinça comme lors des départs ordinaires. Tout cela se déroulait normalement, douloureusement normalement.

Il attendit que le silence se fasse puis, le regard collé au plancher, il expira bruyamment. Il se dirigea vers le salon, mit un disque de Beck dans le lecteur, un disque qu'elle détestait. Il monta le volume quelques crans trop forts pour ne plus entendre le silence. Jamais il n'aurait cru *Loser* aussi triste.

Pourquoi y a-t-il un verbe qui signifie
«dire un mensonge» mais
aucun pour «dire la vérité»?

Les beaux plafonds

La poussée m'écrasait au fond de mon siège. J'aimais beaucoup cette sensation. Elle me donnait l'impression qu'on prenait soin de moi. Par le hublot, la vie devenait ridicule. J'ai pris une automobile entre mon pouce et mon index, j'ai essayé de la retenir et, comme elle m'échappait, je l'ai aplatie. Pas de craquements ni de cris agonisants. Légère déception. Le nez collé à la vitre, j'ai tenté de repérer des routes que je connaissais, que j'avais déjà empruntées. La concentration m'a manqué, la jauge était vide. Je me suis perdu dans un rond-point de mon esprit. Dans la brunante de plus en plus opaque, Montréal disparaissait déjà et j'y laissais, le temps d'une réflexion, d'une refonte des assises, une relation en forme de points d'interrogation.

Chaque minute était un bilan : en ce 31 décembre 1999, à 18 h 46, j'avais trente ans, un début de calvitie, une insouciance qui prenait plus de rides que de risques. J'étais peut-être célibataire, sûrement cocu, sans enfants connus, sans raison, sans passion et, pour fuir la fadeur qui caractérisait ma vie, j'avais acheté sur un coup de tête un billet pour les plats pays. Parfois, j'étais un peu con aussi.

◡

On était la veille du fameux bogue. J'espérais que ce dernier frappe fort, qu'il fasse mal, qu'il coupe les ailes de mon avion, qu'il sape une fois pour toutes cet arrière-goût de fin du monde qui me traînait au fond de la gorge. Mais comment faire confiance à un bogue qui menaçait à la fois de faire partir des missiles et d'arrêter des ascenseurs, de donner cent ans d'intérêts sur les prêts hypothécaires mais de prendre ceux des placements? Les vieux avaient raison: on ne pouvait plus se fier à rien. Les menaces d'apocalypse avaient fait leur œuvre cependant, et d'aucuns évitaient de prendre l'avion en cette fin de siècle aux couleurs de fin des temps. Il y avait peu de passagers sur ce vol transatlantique et ça me plaisait. Pour être précis, nous étions six, tous promus en première classe par gratitude de la compagnie aérienne.

L'agent de bord chargé de l'habituelle chorégraphie de bienvenue a pointé, blasé, les sorties de secours avec les yeux et les paumes au plafond, puis a patiemment attendu qu'on ait l'autorisation de déboucler notre ceinture pour s'allumer une cigarette. Une femme en tailleur gris s'est tout de suite insurgée contre le geste. D'un ton désinvolte, comme s'il nouait des lacets, l'agent exagérément efféminé a expliqué que c'était son dernier vol, qu'il en avait «more than assez de les voyageurs impolites» et qu'arrivé en Europe, ciao-bye chérie, il partait avec le cuistot de l'avion mouliner aux Pays-Bas! Alors le tailleur gris pouvait bien hurler, «le travail est much more agréable un cigarette dans le bouche pis le chemise ouvert, surtout quand il faut dealer avec des madames habillées avec une Channel grise complètement out». Et *le* chemise s'ouvrit sur sa pilosité de ver préadolescent. La dame a promis de porter plainte à plus hautes instances, ce à quoi l'agent a répondu par une lente et profonde bouffée d'acide cyanhydrique. J'ai eu une immédiate et vive affection pour cet agent au bord de la décompensation.

J'ai déduit de la scène que j'avais aussi le droit de fumer et je me suis allumé une cigarette. Ma chemise se serait ouverte si j'en avais porté une. J'ai plutôt déboutonné mon pantalon et enlevé mes souliers, comme si je revenais libre et détendu d'une plage du Sud-tout-inclus.

Dès mes aises apprivoisées, j'ai demandé un scotch à l'agent de bord. L'aubergiste imberbe m'a versé l'équivalent d'un triple avec le sourire. Le goût iodé m'a fait grimacer. Mal de tête assuré. J'en ai tout de même redemandé un autre avant qu'il y ait disette.

Contre toute attente, un passager s'est levé pour venir s'asseoir près de moi. Un gros homme en sueur, plutôt quelconque. En s'assoyant, il a entrepris une lente lambada du bassin afin de bien se caler au fond du siège, puis a poussé un profond soupir. Une fois bien installé, il s'est tourné vers moi.

— Fous bermettez ?

Sans attendre ma réponse, le gros homme a continué :

— Che bréfèrerais m'asseoir brès de quelqu'un bour le temps du fol. Bieille phobie mal abbrifoisée, foyez-fous…

Je *foyais* un peu mal au travers cet accent de choucroute, mais je n'étais pas d'humeur à défendre quelque territoire que ce soit. Sans sa veste vert pomme et son tabloïd sportif qui traînait sur ses genoux, ce gros Allemand m'aurait laissé indifférent. Mais je filais un mauvais coton, l'homme me barrait en partie la route vers les toilettes, j'avais six heures à tuer et très peu de munitions pour le faire. J'ai entrepris de le haïr tranquillement. C'était dans mon champ de compétences. Il a sorti de sa poche de chemise un paquet souple de Winston. Juste à le déballer, il soupirait d'effort. Je le sentais déjà. De toutes les odeurs, celles que produisait le corps humain me répugnaient le plus. D'ailleurs, les odeurs qui émanaient des pores, de la bouche et de tous les autres méats corporels m'avaient toujours inquiété. Que contenait le corps humain pour puer autant au moindre orifice ?

— Fous foulez oune cigarette? dit-il en m'en tendant une coincée entre deux bouts de doigts trop courts.

Sans un mot et avec mon sourire de scotch, je lui ai montré la mienne déjà bien entamée.

— Pien sour, oune à la fois. Nous sommes dans oune afion abrès tout!

Il a ri. J'ai fait semblant de ne pas entendre, question de ne pas encourager la poursuite d'une discussion qui me pesait à sa simple pensée.

L'homme a poursuivi son monologue quand même, interprétant mon silence en un muet encouragement à le faire. En moins de deux, j'en ai su plus que je ne le voulais sur lui: Franz Brant, *enjanté*!, entrepreneur-conseiller en décoration, 42 ans, 56 employés, deux maisons, une carte de crédit qui donnait des points qui donnaient des voyages quand on dépensait beaucoup, *fous defriez essayer, ça faut la beine*, deux garçons, trois lévriers afghans, une femme, dans cet ordre. Et moches les enfants; il m'a montré une photo d'eux, tous habillés pareils, regards niais et tout. Depuis son usine en banlieue de Düsseldorf, le gros entrepreneur fabriquait des plafonds à plusieurs milliers de dollars pièce pour les nantis de ce monde.

— Les chens ont tort d'ignorer leurs blavonds. On les regarde touchours, surtout les vammes! À elles, on leur bromet la lune, mais elles ne feulent que de peaux blavonds. Quand le blavond est choli, elles se disent qu'elles sont janzeuses et heureuses! Si le blavond n'est pas choli, elles s'aberçoifent que fous vaites l'amour comme oune joucroute!

Il a éclaté d'un rire gras bien senti! Je nageais à des kilomètres de son humour. Il s'est penché vers moi et, sur un faux ton de confidence, m'a dit en regardant à gauche et droite pour déceler d'improbables oreilles intéressées:

— Mais, vranchement... Entre fous et moi, quand un homme est brêt à jancher de blavond à ce brix-là, c'est qu'il vait très mal l'amour et qu'il a trop d'archent. Bour l'amour, che n'y peux rien, mais bour leur archent...

Il a ri très fort.

Il devait être très riche.

Il a sorti une sorte de catalogue de ce qu'il offrait à ses clients. Des images de pièces de châteaux, de voûtes suspendues, de toiles tendues, de plafonds flexibles, malléables, translucides ou opaques, tous offerts dans un choix de 128 couleurs, de 211 motifs, de six textures. Du grand n'importe quoi... J'adooooooore la texture de votre nouveau plafond, ma chère! Face à mon mur de *hum hum* et après 34 minutes bien comptées et deux cigarettes, Franz Brant a fini par deviner que l'intérêt qu'il soulevait chez moi dépassait son point de saturation, et il s'est tu. Le gros homme a alors plongé dans son tabloïd et il a absorbé sa dose de buts, de statistiques inutiles et de salaires astronomiques.

Comme le maudit bogue n'arrivait pas, j'ai repassé une commande.

— Aubergiste! Un écossais! Et pas sur la roche!

Il y a des moments où l'on ne doit rien diluer. L'agent de bord s'est exécuté sans même faire semblant d'aimer mon humour. Je l'aimais vraiment beaucoup, celui-là.

⌣

Alors que sa troisième cigarette était à peine entamée, mon compagnon de voyage s'est endormi, la tête bien entrée dans ses multiples mentons. Très vite, sa respiration s'est fait bruyante. En fait, l'homme n'expirait pas, il soupirait. Inspiration, soupir, inspiration, soupir et, partout autour, son haleine.

Il me fallait fumer pour survivre à cet envahisseur. Au fond de mon paquet, il ne me restait que deux cigarettes et, malgré la tentation, je ne m'en suis allumé qu'une. La sienne brûlait toujours entre ses doigts et, de la façon qu'il la tenait, la cendre tombait sur sa cuisse droite. J'ai attendu avec un plaisir à peine coupable que la cigarette finisse sa combustion en le brûlant. Malheureusement, elle a fini par s'éteindre d'elle-même, au filtre, sans le réveiller. Sorry, nice try but no toutou. Sur son gigot, la cendre avait commencé à s'accumuler. N'ayant pas de cendrier et, merci moult scotchs, de moins en moins d'inhibition, j'ai entrepris de laisser tomber ma cendre là où il y en avait déjà, dans l'espoir de créer un motif, une texture. Il m'était difficile de bien viser sans accrocher la montagne, mais *ch'y suis parfenu*! Avec le sourire de celui qui a accompli avec succès une mission délicate d'espionnage, j'ai fait signe à l'agent de bord :

— Auperchiste!...

Nous volions maintenant au-dessus de l'océan et le calme lisse qui régnait dans l'appareil m'a ramené à mes problèmes. Sur l'écran à l'avant, un petit avion blanc surfait à mi-chemin entre l'Amérique et l'Europe. Devant lui, que du bleu océanique. Ensuite, au loin, la terre des Angles, puis le nouveau millénaire, les plats pays, une vie que je ne voulais plus mienne... Je ne pouvais m'empêcher de penser que c'était peut-être le gros Allemand qui avait raison, qu'on promettait la lune à des femmes qui ne voulaient que regarder de beaux plafonds, à moins que je ne me sois acharné à peindre de beaux plafonds à une femme qui voulait contempler la lune.

Sur l'écran défilaient des données à peine significatives pour les passagers : vitesse inimaginable, altitude insensée, température subantarctique. M'imaginer volant à cette vitesse au-dessus de ce vide m'a attristé. Au milieu de tout ce froid, je volais, lourd, insignifiant, à la recherche de sens. J'ai eu envie de pleurer un peu. Juste quelques minutes. Bien qu'on puisse sourire, se fâcher, se parler, siffler, se moucher ou se gratter, on ne peut jamais pleurer en public. Il y a toujours quelqu'un pour nous demander si ça va. J'aurais pourtant bien aimé me déshydrater un peu, faire le désert en moi, équilibrer les atmosphères, ne serait-ce que quelques secondes.

Par le hublot, j'ai regardé le bout de l'aile qui semblait trop fragile pour le poids de l'avion. J'ai frissonné pour lui. Il faisait un peu froid et je reniflais sans cesse. Autour, partout, le bruit régulier des réacteurs se voulait rassurant. Calé dans mon fauteuil, j'ai fermé les yeux comme on ferme le rideau métallique d'un magasin en faillite, et j'ai prié pour que le bruit cesse, pour qu'on s'écrase, pour que la vitesse, l'altitude et la température reviennent à mon niveau. Mais les statistiques sur les accidents d'avions étaient décourageantes, et mes chances d'un écrasement, infimes. Seul un extraordinaire concours de circonstances pouvait me mener directement aux abîmes, mais je n'ai jamais été chanceux. J'allais atterrir à Bruxelles sain et sauf. Terriblement sauf.

Clairs-obscurs

Clic.
Clic.
— François?
Clic.
Clic.
— François?
Clic.
— Quoi, Chantal?
Clic.
— Dors-tu?
Clic.
— P'us vraiment…
Clic.
— Moi non plus.
Clic.
— On dirait.
Clic.
Clic.
Clic.
— François?
Clic.
Clic.
— François?
Clic.
— Quoi?
Clic.
— Tu m'aimes-tu?

Clic.

— Non, pas vraiment.

Clic.

— Arrête de déconner, François. Je te pose une vraie question.

Clic.

— Ben, si d'office « non » est une connerie, je ne vois pas pourquoi poser la question.

Clic.

— C'est un peu poche comme réponse.

Clic.

— Chantal-mon-amour, c'est sûr que je t'aime ! Je viens tout juste de te faire jouir avec ma langue, en plus. Je ne fais pas ça aux filles que je n'aime pas ; mes parents ne m'ont pas éduqué comme cela.

Clic.

— C'était bon !...

Clic.

Clic.

— Ça te va mieux, cette réponse ?

Clic.

— Je t'aime aussi, François.

Clic.

Clic.

— Je peux dormir, là ? Parce que nous, les hommes, on se pose des questions le lendemain. Juste après l'amour, on dort.

Clic.

Clic.

— Tu avoueras, François, que ça marche con, les hommes.

Clic.

— Les lapins aussi fonctionnent de même. C'est les hormones.

Clic.

— Ça marche con aussi, les lapins.

Clic.

— Moi, je ne trouve pas.

Clic.

— Je ne suis pas certaine que tu devrais prendre les lapins en exemple au chapitre de la baise.

Clic.

— Le lièvre aussi, je crois.

Clic.

— D'abord, bonne nuit mon p'tit lièvre d'amour !

Clic.

— Bonne nuit.

Clic.

Clic.

Clic.

— Chantal ?

Clic.

— Quoi, lapin hormonal de mon cœur ?

Clic.

— Tu peux arrêter d'allumer et d'éteindre la lumière ?

Histoire érotique sous le réverbère

Dans le journal du quartier, on me surnomme Stan et on dit que j'œuvre depuis quelque temps. En réalité, j'ai commencé à me montrer nu en public à la maternelle. De même, sans raison. Allez pouf! on baisse le pantalon. Tout le monde m'avait regardé, et l'éducatrice avait ri de malaise en me rabrouant un peu plus durement que nécessaire. J'avais bien aimé l'effet, alors j'ai continué, espaçant habilement mes frasques pour ne pas être inquiété par les directeurs. Mais arrivait invariablement un jour où ils me regardaient du coin des yeux, suspicieux et vaguement inquiets. C'est que c'est mal vu de se promener la besace au vent.

La carrière militaire de mon père m'obligeait à changer d'école tous les deux ans. Chaque déménagement me donnait une réputation toute vierge à étrenner, et elle n'a eu aucun mal à survivre à mes expositions durant mon adolescence. Puis, à dix-sept ans, ce furent les bars. Sifflé, applaudi, flatté, payé pour ouvrir mon costume d'Indien, de pirate ou de pompier. Le bonheur calme sur quelques années car le temps a amené des plus jeunes, des plus jolis. Sur scène, j'avais beau y mettre toute mon énergie, la recette demeurait trop simple pour que l'expérience soit un réel atout. Les yeux se tournaient de plus en plus vers les nouveaux éphèbes percés et épilés qui fréquentaient les universités et les disquaires sans être dépaysés. J'ai rapidement été relégué aux mardis après-midi spécial âge mûr. Puis les tenanciers ont cessé de m'ouvrir leurs portes, même quand je frappais longtemps. J'ai redécouvert l'anonymat.

Pendant quelque temps, j'ai naïvement cru avoir étanché une part importante de ma soif. Mais cette dernière est un système gravitationnel qui tire à bien des bassesses, et c'est l'âme desséchée que j'ai cherché des réverbères un peu à l'écart dans l'ombre desquels je donne des versions abrégées de mes spectacles entre deux pans d'imper. Cliché peut-être, efficace toujours.

Ce soir, un peu en retrait du faisceau de lumière, les passants se font rares et il se fait tard. Je suis bien décidé pour une petite dernière avant de me coucher. Un dernier flash. J'espère que quelqu'un arrivera vite ; je suis fatigué, il fait froid et j'ai les couilles qui me rentrent dans le ventre sous mon imperméable.

Layla en périphérie d'Hollywood

Layla est arrivée à mon bureau doucement, sur la pointe des pieds, en prononçant *toc toc toc* plutôt que de frapper. Elle avait la jambe longue et la robe courte, comme le permettaient cette chaleur de la fin de mai et son insolente jeunesse. Layla ne disait rien, attendait dans l'embrasure, les mains derrière le dos. J'ai laissé en plan mes dernières corrections avant la remise des notes finales et je l'ai invitée à entrer. Elle a fait deux pas en avant puis a exécuté un court arc de cercle avec sa tête pour ramener tous ses longs cheveux bruns sur la même épaule. Il n'y manquait qu'un ralenti cinématographique pour que le jeu soit complet.

Layla était une des étudiantes de mon cours du vendredi, un cours difficile où je devais me battre contre leur soirée de la veille, la fin de semaine prometteuse et un local surpeuplé. Après quelques présences erratiques, elle avait disparu au début d'avril sans jamais donner de nouvelles. Mais voilà que cette belle au teint méditerranéen venait me voir à mon bureau, une Lolita à quelques jours de la remise des notes. Il y avait une odeur de chauffé que je ne savais pas définir…

— Layla… Où étais-tu?

— Monsieur, j'ai eu un tas de problèmes…

Voilà. La litanie de l'absent repentant allait commencer, avec son lot de maladies, de pannes mécaniques et de décès de grands-parents habitant invariablement à Toronto, à New York ou en Europe. J'ai coupé court au laïus. J'ai consulté mon cahier de présences en prenant soin de camoufler les pages vierges de ma main.

— Je compte ici que tu as manqué, au bas mot, près de la moitié de la session, sans compter l'examen de mi-trimestre et le travail final...

— Oui mais...

— Ça doit expliquer en partie ton 42 %...

— Oui, mais je dois absolument passer ce cours. J'en ai besoin pour être acceptée à l'université en août prochain.

— Mais, Layla, il fallait y penser en avril... En janvier, même. Pas à la fin de mai !

Une grosse larme a coulé sur sa joue et, le menton dans son décolleté et le regard coupable collé au plancher, elle me supplia.

— Il me faut passer ce cours. Mon père va me tuer sinon.

Puis, les mains toujours dans le dos, elle releva un peu les yeux avec une soudaine assurance. Le charme terrible des yeux des femmes qui ont pleuré.

— Je suis prête à faire n'im-por-te quoi pour passer ce cours...

Aucun cours de pédagogie ne m'avait préparé à cela. Ce n'était plus une odeur de chauffé que je flairais, mais bien un incendie. J'ai immédiatement pensé à Nabokov, aux films hollywoodiens qui se terminent dans de déchirants procès, à *The Police*. J'entendais le refrain de *Don't Stand so Close to me*... Ma porte était encore ouverte, le département malheureusement libre de témoins. Putain de fin de session. Un tas de scénarios se sont joués dans ma tête en moins d'une demi-seconde, et tous me criaient de fuir.

— Je suis désolé Layla, dis-je d'un trait. Va falloir se revoir lors du cours d'été.

Alors que j'imaginais qu'elle craquerait ou, pire scénario, qu'elle insisterait, la belle désespérée a relevé la tête et a encaissé le refus avec un aplomb qu'on voit rarement à cet âge. Elle a replacé une mèche invisible sur son front puis a marmonné quelque chose d'inintelligible avant de disparaître comme elle était arrivée, sans faire de bruit. Moi, j'ai fermé ma porte puis je me suis écrasé sur ma chaise, épuisé comme après un long combat.

Je n'ai pas revu Layla l'été suivant, ni après. J'imagine que c'est ainsi que se terminent la majorité de ces incidents dans la vie en périphérie d'Hollywood.

Malaises

Tous les jours où j'allais à l'épicerie, Robert se tenait devant la porte, quêtant trente sous, la main tendue, avec ce refrain à la tonalité calquée sur le chant de la tourterelle triste «Un peu de monnaie? SVP Bonne journée!» Immanquablement, chaque fois, je me demandais si le s'il vous plaît allait avec la monnaie ou avec la bonne journée.

Quand on s'arrêtait pour discuter un peu avec lui, Robert parlait des sous noirs de 1967, ceux avec un goéland dessus. Il devait en avoir pour dix dollars dans sa poche de pantalon. Puis il confiait rêver de voler jusqu'en Malaisie, où il y a du soleil et des filles à marier. Il était vrai que, côté malaises, il devait s'y connaître. Il m'a juré que, depuis cinq ans, il se collait de l'argent pour partir, qu'un jour il ne quêterait plus, ni trente sous ni chaleur, et qu'il vendrait des hot-dogs à des touristes bedonnants. Mais, à voir les trous dans ses bras, j'avais ma petite idée sur son agent de voyages.

Depuis près d'un mois cependant, je ne vois plus Robert. Je me doute bien qu'il ne vend pas des saucisses à Brunei. Mais, depuis, je garde tous les sous de 1967, au cas où il reviendrait.

Devant l'épicerie, une fille tient la place de Robert au chaud, une jeune femme au regard bridé, avec des cheveux sales et un tatou sur la joue. Un goéland.

Don Pedro

Il ne faut pas lui en vouloir. Tout est question d'équilibre. Il ne doit pas oublier de ne pas tomber quand il se tient debout. Dès que les garde-fous le réveillent. Dès qu'il se lève, ce qu'il fait tous les matins. Ce n'est pas rien. Ce n'est pas comme d'autres, comme les vieux de son étage, ces grands flancs fous.

Il s'appelle Pierrot. Comme l'ami de celui qui a perdu sa plume, comme le petit frisé à la maternelle, comme l'idiot du village du temps des châteaux et des dragons et des jolies dans les donjons. Pierrot. C'est son nom. Pas à la mode. À contretemps. C'est un nom bémol, qui sonne un peu plus petit. Jamais tout à fait à la hauteur, jamais la note juste. Un nom qui n'évoque rien de bien intelligent. Un plomb au bout d'une ligne, un pois dans une tête, une ancre à bateau. Une ancre avec deux pieds de chaîne. Deux pieds idiots, inutiles, car il navigue en eaux profondes, en eaux creuses. Pierrot.

Un jour, il y a longtemps, un garde-fou a bien vu que le nom Pierrot ne lui allait pas. Pas comme un gant, en tout cas. Il a bien vu que ça n'allait pas avec sa tête. On ne pouvait pas présenter une masse de cent kilogrammes avec un nom comme Pierrot. Ça faisait sourire. Pierrot aussi souriait. Mais dans sa tête il ne souriait pas. C'est comme ça. Quand il ne sourit pas, il sourit pareil. C'est idiot, il le sait. Un jour, ce garde-fou l'a appelé don Pedro. Pour rien. Parce que Pierrot a les cheveux noirs, parce qu'il a un nez d'aigle, parce qu'il a la peau foncée. Parce que, quand les autres se moquent trop, parce que, quand ils le fatiguent, il leur parle arabe en espagnol. Ce n'est pas vrai, il ne parle pas arabe en espagnol. Mais ils ne le savent pas car il fait semblant, il fait comme si. Il sait lire et il sait parler. Sauf l'arabe en espagnol. Juste sa langue à lui. Il n'est pas si fou que ça. Pas autant que tous le croient. Quand ils se taisent, Pierrot parle de ses vagues. Les autres ne comprennent jamais rien. Ils disent qu'il n'est pas vraiment là. Ils confondent toujours tout. Ils confondent la mer et le désert, son bateau et les coquilles de noix. Ils disent *nut*. Pierrot sait que *nut* ça veut dire noix en arabe en espagnol. Il ne comprend pas, mais il faut les comprendre : ils sont un peu idiots. Souvent, ils le sont pas mal plus que lui, même s'ils sont ses camarades, même s'ils vivent à la même place, dans la même maison, le même monde.

Comme ce sont les seules personnes à qui il parle, il fait le fou comme eux. Souvent plus que nécessaire. Il parle leur langue. Il parle en boucle sans jamais rien cerner. Sans arrêt, il boucle, il cerne, il fatigue. Alors il se tait. Mais, même quand il se tait, il continue. Il parle dans sa tête. Il s'entretient. Il s'entretient, sinon il use. Il le fait sans arrêt. Il en a pris l'habitude, il a pris le pli, il est devenu un peu plus malade que nécessaire, pour être comme les autres, pour être un peu moins seul. Il s'amuse plus avec quelqu'un avec qui parler. Plus il est fou, plus il rit. Mais il ne l'est pas tant que ça. Il s'appelle Pierrot et il divague souvent. Il vogue dans ses vagues. Jusqu'à son continent. Jusqu'au pays de don Pedro. Il s'appelle Pierrot.

Pierrot essaie tous les jours de marcher droit, de ne pas tomber, mais il a des problèmes d'équilibre. Ce n'est pas facile. C'est même difficile parfois. Il tombe souvent. Mais il essaie de se tenir. Ce n'est pas facile à savoir, tenir bon. Il paraît que c'est plus facile pour certains. Mais Pierrot n'est pas certain. Il est lui. Quand il est fin, quand il se tient bien, il a le droit d'aider. Parce qu'il est plus intelligent que les autres, on lui confie des trucs. Pas des trucs importants ni des secrets. On lui confie des tâches. Ce matin, il débarrasse les tables. Ce n'est pas à la portée de tous, débarrasser les tables. Il faut mettre les bols dans les assiettes, les assiettes dans d'autres assiettes, les ustensiles dans les verres, et tout ça dans le bac à roulettes. Sans ce travail, il s'ennuie. Tout l'ennuie. Les autres aussi l'ennuient avec leur bave et leur rire de fous. Alors il préfère travailler, mettre les petits plats dans les grands, faire des piles et pousser tout cela à la cuisine.

À la cuisine, il y a un cuisinier et des couteaux. Il y a aussi plein d'objets auxquels il ne peut pas toucher. Un cuisinier crie qu'il a des mains pleines de microbes. Alors Pierrot regarde sans toucher. Il observe les règles. Mais le cuisinier crie quand même «pousse-toi!» puis il crie «tire-toi!» Pierrot ne sait jamais ce qu'il veut vraiment. Alors il ne bouge pas. Quand il ne bouge plus, le cuisinier devient rouge. Pierrot croit que le cuisinier est aussi malade que les autres. Du moins, habituellement. Car ce matin, à la cuisine, il n'y a personne. Il n'y a personne et la porte de la ruelle bâille. Alors Pierrot jette un regard à l'extérieur. Il pleut et il n'y a vraiment personne. Pas un chat, rien. Il sait que personne n'a le droit de sortir de la maison sans les garde-fous, et, si quelqu'un sort quand même, ils crient, ils frappent, ils enferment longtemps dans des chambres sombres. C'est insensé. Mais, comme tout le monde est déjà fou, ça ne dérange personne. Et là, il n'y a personne. Alors Pierrot trouve un crayon, il écrit quelques signes sur le mur près de la porte, et il sort, il part, sans le dire à personne. Juste à lui. Il se le dit dans sa tête. Il a écrit Baille! sur le mur et il a signé. Don Pedro. Il est un homme de peu de mots. Quand les garde-fous les liront, ils se diront qu'ils auraient dû se méfier. On ne se méfie jamais de don Pedro.

Il a mis le pied dehors. Puis les deux. Mais un pied en premier. Il ne faut pas sauter les étapes.

Dehors, il se tient bien droit. Il inspire les bras en croix. Comme Jésus sur le *Titanic*. Il sent le vent, le vent qui se lève, le vent dans sa voile de bateau, le vent qui lui souffle dans l'oreille de partir loin. Il pleut et il se sent grand. Il se sent debout. Il est sur la crête d'une vague et, le temps d'un soupir, le temps d'un haut-le-cœur, il se tient droit. Droit de hauteur. Et il voit loin. Il voit le vide autour de sa vague, une liberté qui l'étourdit, qui veut lui faire perdre l'équilibre, qui veut le faire retomber dans un creux. Alors il bat des bras pour ne pas perdre pied, pour ne pas perdre la tête sous la surface tandis que tout autour de lui roule, casse et brise. Il se bat pour ne pas perdre son équilibre.

Il quitte sa maison de fous. Seul. Seul pour la première fois depuis qu'il y est entré, personne ne sait quand. On ne voulait pas qu'il fasse des barres sur les murs pour compter les dodos. Pierrot avait alors entrepris de compter le temps dans sa tête mais, rapidement, il a eu trop de jours, trop de chiffres, trop de temps. Il s'est emmêlé. Il a essayé moins de chiffres. Il a essayé de compter les hivers. Des fois il fait froid et il fait beau, des fois c'est Noël, mais il ne reçoit pas de cadeau. Il a perdu le fil. C'est facile à perdre, le fil. C'est pour ça que Pierrot est décousu. Il ne faut pas lui en vouloir. Là où Pierrot vivait, il ne servait à rien, ce fil, de toute manière. Mais il n'y vit plus.

Pierrot rejoint une rue et il marche sur le trottoir. Il marche comme dans la maison de fous, sauf qu'il vente dans ses cheveux puis il se met à pleuvoir. Il a un peu froid sans ses chaussettes et sans ses garde-fous autour de lui. Il n'a pas l'habitude. Il faut qu'il rentre quelque part. Alors il suit des gens et pousse une porte. C'est écrit Radisson. Il sait lire. C'est sale, c'est gris. C'est éclairé comme dans sa chambre avec les murs pas de barres, les murs pas de temps. Pierrot décide de suivre tout le monde, et tout le monde prend un escalier qui crache ses marches une à une. Pierrot doit sauter sur une, mais il a peur que chaque marche qui se présente soit la dernière. Alors il saute trop loin et bouscule une dame. Il dégoutte. Elle le fusille du regard mais ne dit rien. Pierrot a eu trop peur pour le remarquer. Il descend l'escalier de Radisson appuyé sur une rampe qui descend à la même vitesse que lui, ce qu'il trouve magique. En bas, le plancher mange les marches et Pierrot tente de remonter l'escalier. Mais tout va trop vite, il y a trop de monde, et Pierrot se retrouve étendu par terre. Il reste là, quelques instants, le temps d'arrêter le roulis. Il a oublié de garder son équilibre. Il oublie des choses comme ça, des choses qu'il se répète pourtant souvent. Pourtant il n'est pas si fou que ça. Pas fou-fou en tout cas.

Des gens qui n'oublient jamais rien passent devant lui. Un homme lui lance de la monnaie sans lui payer attention, on lui lance des mots sans lui parler, on lui lance des regards sans le voir. Pierrot ne s'en fait pas trop. Il a l'habitude des autres regards et il voit bien leur jeu. Ce n'est pas toujours drôle, leur jeu. Il a de bons yeux. Il en faut pour voir l'autre bord de la mer, pour voir où il va, où les gens connaissent don Pedro. Parce que Pierrot, c'est un nom que des parents ont donné. Mais Pierrot ne leur avait rien demandé. Surtout pas qu'ils le laissent chez les malades parce qu'il y a des vagues dans sa tête. On n'abandonne pas les gens chez les malades. Il n'y a pas de raison. Il n'a pas de raison mais il n'est plus fou. Il est parti ce matin.

Le vent commence à souffler et Pierrot se lève. Le vent souffle. Très fort. Trop. Ça le retourne. Il essaie de marcher à reculons. Il a le vent dans le dos mais il avance à reculons. Puis le vent se calme, se fait doux. Pierrot regarde les gens tourner dans les tourniquets. Ils tournent rond. Lui ne tourne pas rond. Il passe par-dessus. Il n'est pas toujours nécessaire que les choses tournent rond. Et il marche. Il suit le flot des gens. Des vagues de gens pas idiots parce qu'ils peuvent sortir de leur maison sans garde-fous, quand ils le veulent. Ils peuvent choisir d'aller à gauche ou à droite. Ils peuvent choisir et ils choisissent tous d'aller dans l'escalier Angrignon. Pierrot sait lire. Il lit à voix haute. « An-gri-gnon ». Il n'aime pas beaucoup le son que ça fait dans sa tête, An-gri-gnon. Au-dessus de l'autre escalier, c'est écrit Honoré-Beaugrand. Ça va avec lui, Honoré-Beaugrand. Il aurait bien aimé s'appeler Honoré. Il se dit que c'est pour lui, ce nom-là. Qu'il est Honoré. Honoré de vous rencontrer. Il rit de son jeu de mots. Pierrot sait être drôle parfois. Tout le monde le dit, à la maison : « Il est drôle, lui. » Et il descend l'escalier Honoré en riant.

Il va sur le quai. Tout le monde est de l'autre côté. Seulement Pierrot est du sien. Personne d'autre. Il compte. Zéro. Il sait compter. Mais il ne compte sur personne. Il compte sur lui, il compte sur ses doigts. Il n'est pas fou.

Les gens de l'autre côté n'ont pas l'air heureux. Ce n'est pas joyeux tous les jours de ne pas être fou. Ils peuvent bien tous être du côté Angrignon, lui, il est Honoré. Il leur crie fort. « JE SUIS HONORÉ ! » Il sait bien qu'ils l'entendent mais ils n'écoutent pas. Personne n'écoute jamais. Mais Pierrot n'a pas besoin de leurs oreilles. Il a les siennes. Il a des yeux aussi. Des yeux pour voir au-dessus des vagues. Pour voir son pays. Son pays qui est par ici. Il n'a qu'à suivre la ligne jaune tout au bord du gouffre. Il n'a qu'à suivre le fil sans le perdre. Alors il marche dessus, en équilibre. Il ne faut pas qu'il oublie. Il veut aller jusqu'au tunnel, jusqu'au trou noir. Et il marche. Et il rit de se voir déjà de l'autre côté de la mer, dans son pays, chez lui, avec des amis et des gens qui rient. Il ferme les yeux et il respire le vent chaud qui commence à souffler. À souffler dans sa voile.

Dans le tunnel juste devant lui, il entend les vagues. Il entend la mer gronder. Tout doucement d'abord. Elle ronronne comme un chat. Puis plus fort. Puis elle rugit! Fort! Fort comme un lion! Fort comme une montagne de lions! Fort comme un fou qui est heureux! Fort comme don Pedro sur son bateau sur la crête d'une vague! Il garde son équilibre malgré la vague de joie, malgré la vague de bonheur! Il va enfin partir! Loin des creux, loin des fous! Il est au sommet! Il voit tout! Il voit surtout qu'il n'y a rien, ni côtes ni pays. Il voit le vide, et ça l'étourdit.

Tout est question d'équilibre. C'est ce à quoi songeait un préposé en se penchant sur Pierrot. Les yeux mi-clos, Pierrot lui a dit qu'il ne fallait pas lui en vouloir, qu'il avait seulement oublié.

Ces temps qui parlent

— L'homme est né pour regretter le passé. Regarde le nom qu'on a donné aux temps de verbes. Par exemple, on dit juste «l'imparfait». On ne dit pas «le passé imparfait». Comme si ça allait de soi que ce qui est imparfait est automatiquement le passé. Pourtant, le présent aussi pourrait être imparfait. Le futur, même, si l'on croit en cette fumisterie qu'est le destin. Mais non. Le passé, on le regrette, on se dit que cela aurait dû être mieux. À cause de Bescherelle, on pleure sur le passé, pas sur le futur.

— Que fais-tu du «plus-que-parfait»?

— Quoi, le «plus-que-parfait»?

— Il est aussi du passé. Pire, c'est même le passé d'un passé. Selon ta théorie, il devrait être moins qu'imparfait, pas plus-que-parfait. Peut-être que le temps arrange bien les choses, finalement.

— Tu m'énerves.

— Tu vois, ici, ça ne va pas comme tu veux, c'est imparfait, et pourtant tu ne m'as pas dit que «je t'énervais».

— ...

— ...

— En fait, on devrait parler comme ça: conjuguer à l'imparfait ce qui est imparfait, au plus-que-parfait le plus que parfait, au futur simple le simple...

— Par exemple: nous n'avions plus de bière. Tu commanderas deux pintes!

— Ça m'avait fait plaisir!

La vulnérabilité, c'est la clause écrite en petits caractères au bas du contrat de la sensibilité.

Somnifères

Au journal télévisé défilaient des images d'un tremblement de terre au Pakistan. Deux jeunes tentaient vainement de soulever une poutre de béton sous laquelle gisait probablement une sœur, un parent ou un voisin. L'un des jeunes a regardé la caméra, a crié une requête que la voix de la journaliste a couverte. Ça me touchait peu; j'avais ma propre vie à tirer des décombres. Il a fallu que j'appuie trois fois sur le bouton de la télécommande avant que la télé ne s'éteigne. Annie devra acheter de nouvelles piles.

Je l'ai regardée du coin de l'œil. Elle dormait, la tête bien appuyée à l'autre bout du divan. J'ai soulevé ses jambes afin de me soustraire à son poids et je me suis approché doucement de son visage. Sa respiration profonde, régulière, laissait entendre un léger sifflement. En souriant, j'ai tapoté le flacon de somnifères au fond de ma poche comme je l'aurais fait avec un chien qui m'aurait apporté mes pantoufles : bon toutou, gentil toutou.

Annie prenait déjà des somnifères tous les soirs depuis quelque temps déjà, et devait maintenant forcer la dose un peu plus chaque fois pour obtenir l'effet escompté. J'avais tenu compte de cette accoutumance quand j'avais préparé son lait au chocolat de fin de soirée. Le verre vide sur la table d'appoint me confirmait que j'en avais pour un bon moment à être tranquille avant qu'elle ne se réveille. J'ai tout de même claqué des doigts près de son oreille afin de m'assurer qu'elle dormait profondément. Je l'ai ensuite appelée par son nom, puis je lui ai dit quelques grossièretés. À peine a-t-elle sourcillé. J'ai respiré de soulagement : j'avais la soirée.

Dans un grand sac de sport, j'ai commencé à entasser mes vêtements en écartant soigneusement ceux qu'elle m'avait forcé à acheter au fil du temps. Je ne voulais emporter que les vêtements que j'avais choisis, ceux qui reflétaient ma personnalité, et non ceux qui représentaient l'avocat accompli qu'elle aurait tant aimé que je sois. J'ai rapidement compris que je devrais aussi prendre les vêtements que je détestais et qu'Annie m'avait imposés avec les années si je ne voulais pas faire de lavage avant une semaine.

J'ai sélectionné quelques disques, les quatre miens pour être précis, du gros rock sale d'adolescent que ma copine ne pouvait supporter, et je me suis posté devant la bibliothèque pour choisir des livres. La tâche m'a semblé colossale et, comme je ne voulais pas courir le risque qu'Annie se réveille avant que je ne sois parti, j'ai choisi quelques romans que je n'avais pas lus en me maudissant de ne pas m'être préparé une liste du matériel essentiel à mon évasion. De toute façon, il me valait mieux partir léger ; on ne refait pas sa vie en traînant l'ancienne dans ses valises.

Je me suis installé à la table de la cuisine pour écrire un mot d'adieu. La chaise m'a paru, pour la première fois, incroyablement inconfortable, une chaise qu'Annie avait achetée, comme tout le reste du mobilier. Pour être exact, Annie avait tout choisi dans cet appartement, du sofa Ektorp écru au caca d'oie des murs de la chambre à coucher, se contentant d'une approbation que je n'avais guère le choix de donner. Je ne pourrais dire quand cette dynamique s'est installée entre nous, mais il me semblait que depuis toujours je ne faisais que payer ma part des factures en regardant ma douce moitié gérer les finances, investir le nid conjugal, régenter ma vie. Bien sûr, j'avais sans doute laissé les choses dériver, glisser sur cette pente douce du désinvestissement, par paresse, par lâcheté sans doute. Quand j'ai pensé inverser la vapeur, l'habitude me semblait trop bien ancrée pour y mettre un frein. Il nous aurait fallu de lourdes soirées de discussion, d'onéreuses et interminables séances de thérapie de couple et un courage qui me faisait cruellement défaut. Il aurait surtout fallu que je lui avoue ne plus l'aimer, que tous les matins, quand je quittais pour le bureau, je redoutais le moment du retour, que tous les soirs, quand elle s'assoupissait, j'allais à la fenêtre regarder la rue sombre et tranquille, regarder dehors, là où je savais que respirait doucement une vie à ma mesure.

C'est un de ces soirs, hier soir, que j'ai eu l'idée des somnifères.

Sur la feuille où j'avais entrepris d'écrire un mot d'adieu, on ne pouvait lire que «J'espère une vie». Dans mes réflexions, mon stylo s'est trop longtemps arrêté au même endroit et avait laissé fuir son encre en un gros point définitif après le mot *vie*. Je me suis dit que c'était suffisant, que le lendemain, sur la route d'ailleurs, j'appellerais Annie pour lui dire adieu, pour lui dire surtout de ne plus m'attendre et de ne pas me chercher, que je lui laissais tout ce dont elle s'était déjà accaparée de toute manière.

Au moment du départ, un sac de sport en bandoulière, je l'ai observée dormir sur le sofa quelques minutes. Elle n'avait plus cette beauté naturelle d'autrefois, même dans cette sérénité que donnait le sommeil à son visage. Plus rien chez elle n'attisait mon désir, n'animait de sentiments, même ténus. Comment avais-je pu tomber amoureux d'une telle femme? Elle était aujourd'hui de ces beautés lisses aux arêtes arrondies que donnent en pâture les catalogues déguisés en magazines qu'elle recevait tous les mois. Elle faisait partie de ces gens qui, faute de pouvoir se *photoshoper* tous les matins, combattaient le temps à coups de masques à base de foie d'autruche et de crèmes aux prix scandaleux. Elle perdait des heures à lutter contre ce temps qui passait au lieu de le savourer et, comme plusieurs personnes de son espèce, elle cherchait à imposer son combat à son entourage sous prétexte de vouloir le bien de tous. Au fil des ans, elle avait cessé de simplement vouloir mon bien, et elle faisait maintenant en sorte de l'obtenir par tous les moyens, envers et contre tous, surtout contre moi.

J'ai laissé une lumière tamisée dans le salon, puis j'ai soigneusement refermé la porte d'entrée derrière moi. Dehors, l'air était doux et étrangement chaud pour une soirée de la fin d'avril. J'ai inspiré profondément et, pendant de longues secondes, j'ai savouré tout cet espace, toute cette liberté, comme si j'émergeais d'une interminable hibernation. Une fois mon sac sur la banquette arrière de la voiture et ma clé insérée dans le démarreur, je n'ai pu retenir un petit rire de bonheur incroyablement léger.

Le moteur s'est montré un peu récalcitrant et, au moment où j'ai commencé à croire en un mauvais scénario de film, il a démarré. Je n'avais pas de destination définie ni un quelconque itinéraire, et c'est mû par quelque chose que j'ai nonchalamment attribué au destin que j'ai pris l'autoroute vers l'est, avec la solide intention de ne m'arrêter de rouler que lorsque la jauge à essence réclamerait une station-service.

Ce n'est que le lendemain midi que j'ai composé le numéro de portable d'Annie. J'ai laissé sonner jusqu'à la boîte vocale. «Vous avez bien joint la boîte vocale d'Annie Lepage. Laissez un message et je vous rappellerai», message en demi-vérité puisque Annie ne rappelait jamais. J'ai raccroché. J'ai regardé ma montre : à cette heure, il était impossible qu'elle ne soit pas sortie des brumes des somnifères.

Juché sur le capot de la voiture devant le rocher Percé, j'ai arraché une derrière bouffée à une cigarette que m'interdisait Annie avant de recomposer son numéro. Toujours aucune réponse, toujours le même message vocal. Ça m'a inquiété. Elle devrait répondre, m'engueuler, me menacer. Pourquoi ne répondait-elle pas ? J'ai sorti le flacon de somnifères vide de ma poche. J'avais peut-être un peu forcé la dose.

J'ai regardé les nuages gris qui se dessinaient au large. J'ai eu un léger frisson, j'ai passé une main faussement placide sur mon front et j'ai appuyé sur la touche de recomposition automatique avant de fermer les yeux.

Alice au pays des miroirs

Alice ne sort plus. Il y a trop d'humains à l'extérieur. Trop de gens qu'elle ne connaît plus, dans lesquels elle ne se reconnaît pas, sinon par petits morceaux. Elle se reconnaît dans les yeux tristes de la caissière de l'épicerie, le timbre cassé de la voix de sa voisine, les silences coupables de sa mère, le pas traînant de cette passante, les pleurs sentis de cette enfant. Elle ne se reconnaît pas dans cette faune, si ce n'est qu'en kaléidoscope, en fragments pointus et acérés qui blessent plus qu'ils ne complètent.

Alice est en morceaux, coupée du monde. Les médecins tentent de souder à coups de dragées et de thérapies onéreuses. Pour la recoller. Pour qu'elle accepte que les miroirs reflètent la lumière, admettent les regards extérieurs, permettent de se faire belle sans se répandre partout. Pour qu'elle comprenne que sept ans de malheur, ce n'est pas une vie.

En 1919, Églantine et Firmin travaillaient pour se nourrir, allaient à l'hôpital quand le petit dernier faisait 108 de fièvre, s'habillaient pour cacher leur peau et faisaient de l'exercice en courant après leurs onze marmots. Quand on leur demandait « P'is ? À part de ça ? », ils répondaient en souriant que le printemps s'en venait et que mémé n'était pas encore sénile.

En 1944, Jacqueline et Maurice travaillaient pour la patrie, allaient à l'hôpital visiter fiston qui avait reçu un éclat d'obus, s'habillaient pour se tenir au chaud et faisaient de l'exercice en s'agenouillant, en se levant, en s'assoyant, en s'agenouillant à nouveau devant l'autel. Quand on leur demandait « P'is ? À part de ça ? », ils répondaient qu'ils avaient reçu une carte postale d'oncle Gaston de Normandie et qu'on finirait bien par les avoir, ces foutus Allemands.

En 1971, Louise et Michel travaillaient seulement pour la commune (et encore !), n'allaient à l'hôpital que pour de rares overdoses, ne s'habillaient pas ou très peu et faisaient de l'exercice en faisant l'amour pendant des spectacles en plein air. Quand on leur demandait « P'is ? À part de ça ? », ils répondaient que le champignon s'en venait, mais qu'ils construiraient une arche avec des cochons, des vaches et des amis.

En 2006, Brenda et William travaillaient afin d'avoir de l'argent, allaient à la clinique se faire refaire des parties du corps, suivaient la mode et faisaient de l'exercice pour être beaux. Quand on leur demandait « P'is ? À part de ça ? », ils ne savaient pas quoi répondre.

Apéro

J'ai commandé une bière. En fait, c'est faux, je n'ai rien commandé du tout. Je me suis assis au comptoir et une pinte de rousse a atterri devant moi. Je ne sais pas si cet accueil est plaisant ou révélateur d'une pathologie quelconque. J'ai toujours préféré m'en satisfaire.

Il y avait peu de clients. J'aimais bien ces moments où le bar semblait m'appartenir. Mais il ne faut pas se leurrer, une buvette est une maîtresse plutôt volage. De l'autre côté du comptoir, Jeff attendait que j'aie goûté à ma bière avant de commencer la discussion. Je prenais mon temps, étirant le plaisir de ces silences d'après-midi. Je savais que, dès ma première gorgée, il allait m'envoyer une phrase sibylline pour partir la discussion. J'ai tranquillement trempé mes lèvres dans le verre. Jeff faisait semblant de ne rien voir de mes gestes mais il tendait l'œil. J'ai avalé puis, par pure cruauté, j'ai attendu deux secondes avant de donner le signal de départ, avant de faire…

— Aaah…
— Hier, je l'ai fait!

J'étais habitué à ses étranges entrées en matière, mais chaque fois il réussissait à me surprendre. Je n'ai pas répondu tout de suite, alors il a continué:

— J'ai mis fin à tout cela.

Il a laissé filer quelques secondes avant d'ajouter:

— Je sais toujours pas si je suis plus heureux aujourd'hui qu'hier.

Puis il est parti laver des verres.

Bruges en automne

Il y a des jours comme des lits trop accueillants, qu'on voudrait laisser défaits. Il y a des jours comme ce jour-là où le soleil s'est levé sans replacer les draps. Marc a ouvert les volets de sa fenêtre. Il pouvait voir un des moulins à vent qui bordaient la ville. Dehors, il faisait suffisamment chaud pour en rester un peu surpris, pour ouvrir son manteau et sourire. Malgré novembre. Malgré l'absence de feuilles dans les arbres. Malgré les corneilles. Bruges avait l'air de ce qu'elle a toujours l'air, même quand l'automne se prend pour l'hiver : d'une carte postale. Les rues n'étaient foulées que par des touristes amoureux et quelques enfants qui criaient en flamand. C'était beau. De cette beauté qu'on chuchote, pour soi, à l'orée de la lune. Sous sa fenêtre, un couple s'embrassait avec tendresse. Ça a rappelé à Marc qu'il n'appartenait plus au même monde. Pour visiter Bruges, il faut être amoureux ou avoir une carabine.

C'était novembre, mais Marc vivait l'hiver, le soleil brillait et le lit était trop confortable.

Rendez-vous

Je lui ai donné rendez-vous au bar à 20 h 18. À et 18, comme ça, pour rien. Parce que ce n'est pas un chiffre rond. Je lui ai dit que j'aurais un col roulé noir, des lunettes à montures métalliques, un livre. J'ai hésité entre *Comment faire l'amour à un nègre sans se fatiguer* pour les promesses, *Cyrano de Bergerac* pour le romantisme et *Kennedy et moi* pour mon âge, ma calvitie.

Il est 20 h 29. J'attends encore qu'elle entre. J'ai choisi *Journal d'un vieux dégueulasse*, pour voir si elle a de l'humour.

Il est 20 h 37. La porte ne s'ouvre toujours pas. J'aurais dû choisir *En attendant Godot*.

20 h 43. La porte s'ouvre enfin. Un vieux barbu entre. Je retourne à mon livre. C'est rendu que Bukowski m'emmerde.

20 h 49. Porte toujours close. J'ai des envies d'*Âmes grises* de Claudel.

20 h 56. Si ça se trouve, elle ne sait pas lire, l'idiote.

21 h 17. Bukowski est un pathétique fini. Je l'aime bien. Encore un café – non, une bière plutôt – et une dizaine de pages. Après je m'en vais. Je ne passerai pas ma soirée à attendre des femelles…

21 h 21. C'est encore l'heure du deux pour un. Ce serait con de laisser passer.

22 h 33. J'ai passé au travers du livre. J'ai bien ri. Elle ne sait pas ce qu'elle a manqué, l'idiote analphabète. Bon, une dernière bière. Juste une. Avant de m'incruster comme un pathétique alcoolo.

23 h 57. Toutes des salopes, j'te jure…

0 h 26. Je crois qu'elle ne viendra pas. C'est vraiment le désert, ce bar de ploucs. Même pas un vieux boudin sur lequel me replier. Allez, un petit verre et je file.

1 h 54. Il me reste tout juste assez de monnaie pour un dernier verre. Juste un dernier. Je n'ai pas que ça à faire.

Nous nous poussions, nous jouions du coude, nous nous pressions pour fuir la faim qui s'imposait, pour être le premier, le plus près possible de la voie. L'attente avait assez duré. Elle se terminait là, aujourd'hui, avec le train de Vladivostok qui arrivait. Le vide dans nos ventres reculait, battait en retraite alors que nos yeux admiraient un défilé comme celui d'un Mardi gras : une locomotive, deux wagons. Pas de cambuse. Le plus beau des défilés !

Le convoi stoppa devant nous. La pression de la foule se fit encore plus forte. Les cris et les bras se joignirent aux miens et se levèrent vers la grande porte de bois du premier wagon. Au bout de ces bras, des mains rudes, sales, auxquelles personne n'avait tendu la leur depuis le début de cette guerre. Les poings se desserrèrent, libérés des menaces, du désespoir. Tous écartaient leurs doigts pour attraper ce qui pourrait passer à portée et un peu au-delà. Des centaines de petites étoiles criant leur envie d'être rassasiées. Devant nous, derrière l'écran de mes larmes de joie, la grosse porte tardait à s'ouvrir. L'attente parut interminable. Les secondes se déguisaient en heures.

L'ouverture se fit. Les bras se tendirent encore plus, à la limite du déchirement. Nous redevenions les rois que nous avions jadis été. Mais lentement, telle une épidémie, le silence se répandit dans toutes nos bouches vides depuis trop longtemps. La foule se tut.

Silence de mort. Le wagon était vide.

Dans l'embrasure, il n'y avait que Sergei dans son uniforme usé. Sergei que je voyais pour la première fois en dix mois.

Sergei, le seul de mes fils qui n'était pas encore mort pour notre patrie. Avec un air désolé, il resta muet. Il n'y avait rien à dire comme il n'y avait rien à se mettre sous la dent. Il nous apprit finalement qu'il n'y avait plus de nourriture depuis des jours à la grande ville. Mais rien depuis des jours, c'est plus que rien depuis des semaines ici. Et ce wagon, à nos yeux, n'était vide que depuis quelques secondes.

Le vide du convoi se joignit à celui de nos ventres, prit toute la place. La faim et le froid revinrent s'installer, gonflés à bloc par notre désillusion, avec le sourire des vainqueurs qu'on croyait vaincus.

Je réussis à monter dans le wagon, à m'approcher de mon fils. Après une brève hésitation, je le serrai dans mes bras débiles, mes mains décharnées agrippées à sa chemise. Jamais je n'aurais cru si forte l'envie de l'étrangler.

Absence

L e jour où l'on retrouva le corps sans vie d'Huguette Potvin, nul ne fut surpris ; à 101 ans, la mort ne vole plus personne. Aucune famille, aucun ami ne vivait encore pour la pleurer, sinon quelques voisins qui ne venaient pourtant jamais la visiter. Ainsi, quand le drap des ambulanciers recouvrit le visage de la vieille dame, personne ne constata qu'elle avait le sourire de celle qui s'en va au bal retrouver le prince charmant.

Huguette Potvin habitait depuis 1926 un petit trois-pièces mal isolé de l'est de Montréal. Ce logement déjà gris pour l'époque ne devait être qu'un gîte de transition entre son mariage avec Hervé Potvin et l'achat d'une grande maison sur le bord du fleuve. Il devint pourtant leur unique nid d'amour : Hervé y décéda quelques jours après les noces, victime d'un accident vasculaire cérébral, mais ça, personne ne le sut puisque, selon les us médicaux de l'époque, on conclut qu'Hervé était mort dans son sommeil. Hervé abandonnait ainsi une jeune Huguette Potvin éplorée, qui vécut dès lors en solitaire, recluse dans ce petit logis usé, incapable de quitter ce qu'elle voyait comme un coin de paradis trop tôt perdu.

Dans son deuil, Huguette Potvin s'accrocha au souvenir d'Hervé tel un naufragé à un radeau et, par peur de perdre ce qui lui restait de son éphémère bonheur, elle essaya de garder intact ce que son mari lui avait laissé, d'autant que c'était fort peu. Rien de neuf n'entra dans cet appartement, et rien d'usé n'en sortit. Tout était conservé jusqu'à l'extrême usure, et ce qui cassait s'entassait dans des boîtes de bois elles-mêmes entassées dans les recoins de ce lieu à l'abri du temps, des modes et des engouements passagers.

Autour de ces caisses amoncelées ci et là, tout l'appartement s'usa lentement. Une de ces caisses, posée près du lit, se distinguait des autres par l'attention quotidienne que lui portait la veuve. Son bois brut fut nettoyé si souvent et pendant si longtemps qu'il avait aujourd'hui la patine d'un coffre précieux. À l'intérieur s'y trouvait un condensé de ce qu'avait un jour été la vie d'Hervé : une pipe en merisier, un mouchoir brodé d'un monogramme, un chapelet, une montre de gousset du Canadien national, un tesson de verre poli par la mer trouvé sur une plage de la Gaspésie, une photo où Hervé se tenait bien droit devant une locomotive, et trois lettres d'amour sincères truffées de fautes, écrites de cette calligraphie inégale propre à ceux qui aiment peu écrire mais qui s'y appliquent, la langue entre les lèvres. Huguette Potvin est souvent revenue à ce coffre. Quelques fois pour se rappeler son amour quand un bellâtre la courtisait et qu'elle se sentait faiblir, parfois pour pleurer, souvent pour sourire, toujours pour s'endormir, un souvenir réchauffé dans la paume, un baume insignifiant sur toute cette absence.

Huguette Potvin vécut le reste de sa vie au creux de son antre avec le souci de ne pas laisser ses sentiments s'empoussiérer, le désir de voir le temps l'oublier. On aurait pu croire qu'elle y était parvenue, jusqu'à ce qu'on la retrouve froide dans son lit, la semaine dernière.

Le corps d'Huguette Potvin n'était pas encore enterré que le propriétaire de l'immeuble, calepin en main, dressait une liste des rénovations à effectuer afin de profiter de l'engouement populaire pour cet ancien quartier ouvrier. Maintenant que la petite vieille n'était plus entre lui et un profit locatif outrancier, il lui fallait en jouir, et déjà il contactait une série de rénovateurs trop confiants, qui estiment l'ampleur des travaux un œil fermé, en inspirant profondément par les narines, comme si eux seuls savaient flairer dans le fond de l'air ce qu'en coûtent les mises à jour immobilières.

Dès le lendemain, des spécialistes du stuc et de la massue ne firent aucun tri des caisses de bois d'Huguette Potvin, et toutes atterrirent en grand fracas dans un conteneur de tôle de la taille d'un camion. La boîte de souvenirs d'Hervé ne fit pas exception à la règle, sauf qu'au moment de toucher le fond du conteneur elle ne fit pas un bruit.

À la fin des rénovations, l'ouvrier en charge de redonner un éclat cristal au parquet peinera plusieurs minutes sur un coin de chambre particulièrement récalcitrant. Mais arrivera un moment où la ponceuse se taira. Elle aura alors effacé le dernier souvenir de l'amour d'Huguette Potvin.

La vie est un long matin...

Le café coulait lentement. Le soleil frappait la cuisine de biais et m'empêchait presque de lire le journal. Je n'aurais pas manqué grand-chose: accidents cons, promesses politiques vulgaires, analyse de la partie de hockey d'hier – toujours la même depuis l'invention du sport – et caricature plate. Même les mots croisés se faisaient facilement.

C'était un matin pute, un matin aisé, un matin doux pour peu qu'on lui prêtât attention.

Ce matin coulait lentement. Et moi aussi, avec lui.

En retard

On s'était donné rendez-vous dans un de ces cafés à la mode. On ne s'était pas vus depuis cinq ou dix ans. Pas clair. Un livre rouge à la main, je lisais une phrase, toujours la même, sans chercher à la comprendre : « Les stéréotypes sont indispensables à la conservation de la moimére llecovite fjhy akdooop... » Chaque fois la lune après deux lignes. Je me suis résigné à ne jamais finir ce livre et je l'ai tourné face contre table. Cesaria Evora gémissait dans les haut-parleurs. 13 h 20. Ariane était en retard, comme autrefois.

Mai s'abattait sur Montréal, mais il aurait bien pu être novembre tant je m'en foutais. Elle m'avait quitté il y a dix ans, par dégoût ou par soif, je ne l'ai jamais su. Aujourd'hui ne m'apportera pas plus la réponse. L'heure n'était pas au règlement de compte mais à son besoin d'être rassurée, de constater que ce qu'on a mis de côté au fil des ans est devenu chauve, a pris du poids, a perdu des dents. Je savais qu'elle m'embrasserait un peu froidement, avec cette retenue que je n'avais jamais su apprivoiser. Je savais que je dirais n'importe quoi pour avoir l'air bien, heureux, serein. Elle m'écouterait à moitié en se disant que je disais vraiment n'importe quoi. Je savais surtout qu'après une heure elle se plaindrait doucement qu'elle est si occupée, que son temps est compté, que « Ciao ! C'tait cool de te revoir... » Après dix ans, je n'aurais droit qu'à soixante minutes. Pas plus. Une heure pour montrer mon sourire avec des trous, les cicatrices sur ma poitrine, ma cirrhose. Une heure de sons avec la bouche pour un parfum sordide du passé. Une heure à me dire tout bas de me la fermer. Et elle partirait, soulagée de ne plus être avec ce con.

13 h 25. Je parlais toujours seul. Je m'y attendais. J'en ai profité pour partir avant de devenir une abordable consolation à sa solitude.

Dehors, des oiseaux chantaient, et la première jupe que j'ai croisée m'a souri. Le printemps pouvait revenir.

D relin... Drelin...
Clic.

— Salut! Vous m'avez b'en r'joint pis vous savez ce que vous avez à faire. Biiiip.

— (Soupir) Salut Kim... C'est ta mère... (Silence) Kim?... Réponds, je l'sais que t'es là, tu sors jamais... Ki-im... (Soupir) Bon, anyway, je voulais juste avoir de tes nouvelles... (Silence) Je sais, ça fait six mois qu'on ne s'est pas parlé. J'ai appelé plusieurs fois, mais j'ai pas laissé de message... J'sais pas trop pourquoi. Peut-être parce que j'savais pas quoi te dire. Anyway. (Silence) Là, j'appelle parce que... (Soupir) J'sais pas si t'écoutes les nouvelles à la télé, mais il y a eu une tuerie à Dawson. Une vraie, comme aux États. Bon, avec Polytechnique et Concordia, on n'a p'us rien à leur envier, les Américains... Anyway... Je t'appelle parce que j'sais que t'as des amis qui vont à Dawson et, même si je les trouve un peu bizarres, j'me demandais si... Remarque qu'ils l'ont peut-être lâché, le cégep. Il serait temps, à leur âge... Peut-être qu'ils sont plus tes amis maintenant... Ça me rassurerait. (Soupir) Ils avaient l'air tellement violents. J'ai jamais compris pourquoi tu te tenais avec eux... Anyway... Mais toi? Comment ça va?... (Silence) 'Stie, Kim... Pourquoi t'es parti de la maison en cassant tout?... Tu savais que ton père s'inquiète pas mal pour toi? Il a presque perdu sa job à cause de toi... D'ailleurs, j'voulais te dire, on vit p'us ensemble... Depuis juillet... J'pense que c'est mieux comme ça... Il m'accusait tout le temps d'être responsable de c'que t'étais devenu... (Soupir) J'ai toujours trouvé que t'avais de drôles d'amis et que ta fixation sur les « guns » était bizarre, mais j'me disais que c'était une passe d'ado, qu'on n'avait pas à intervenir, un peu comme la musique que t'écoutais tout le temps dans le temps... T'écoutes-tu encore ça ? (Silence) Anyway, tu m'aurais pas vraiment écouté... (Silence) J'sais pas trop pourquoi j'te dis tout ça tout à coup... (Soupir) Ça fait trop longtemps qu'on s'est vus, Kim... Anyway. Heille ! Je retourne écouter les nouvelles, ça a l'air qu'ils viennent de tuer le tireur de Dawson. B'en bon ! Un criss de fou de moins... J'sais pas quel genre de parents élèvent des enfants de même... Anyway... Euh... Kim... (Soupir) (Silence) Je sais que j'te l'ai pas dit souvent mais... euh...

Biiiip.

Le temps que l'on se donne

En ces moments-là, je devenais un automate, un horizon saskatchewanais, un élève qui récite une fable trop bien apprise devant ses grands-parents à Noël. Je n'ajoutais pas d'émotions, je savais le récit capable de communiquer les siennes sans mon aide. Mais j'étais un piètre acteur, et l'histoire d'aujourd'hui est particulièrement mauvaise. Il me fallait admettre que mon cabinet de médecin était parfois une scène inconfortable. En m'écoutant, madame Chartrand ne pleurait pas. Elle a seulement dit sans trop y croire qu'il devait y avoir erreur, que c'était impossible. Pour toute réponse, j'ai regardé mon pouce droit qui massait la paume de ma main gauche.

Devant ses déchirantes suppliques, j'ai menti et j'en ai mis un peu plus que ce que l'auteur avait écrit. Six mois. Je lui ai promis qu'elle verrait fondre la neige, qu'elle humerait une dernière fois les fleurs de son lilas. Après le silence, on a parlé, beaucoup de ses enfants, un peu de la vie qui lui restait, puis on s'est donné un autre rendez-vous. Avant de fermer la porte capitonnée derrière elle, livide, madame Chartrand m'a remercié pour tout le temps que je lui avais accordé. Je n'ai rien ajouté. J'ai tiré les rideaux. Dehors, c'était déjà novembre.

Ces corps qui ne flottent pas

Depuis que Bernard a délaissé flotteurs jaunes aux bras, bouée au dos et autres canards à la taille, il tente de faire l'étoile, de flotter sans effort à la surface des eaux. Sans succès. Il coule immanquablement, doucement, pieds premiers et, après quelques instants, il se retrouve le cou cassé par en arrière à la recherche d'un peu d'air, alors que d'autres flottent sans problèmes pendant des heures comme des otaries gonflées d'hélium.

Après vingt ans d'essais, force lui est d'admettre que son père avait raison, qu'il y a des corps plus denses que les autres, qu'il y a des gens qui devront toujours nager, battre des membres, se débattre pour rester à la surface, ne pas sombrer.

Bang!

Bang! Bang!
Un être humain tire et tue deux personnes dans une résidence étudiante de l'Université Virginia Tech.

Les autorités et l'université en question ne réagissent aux deux premiers meurtres qu'après deux heures, parlant « d'incidents isolés ».

Bang! Bang!

Le tueur barricade les portes d'un autre pavillon de l'université et tire à bout portant sur les gens pris en souricière.

Plusieurs étudiants prennent des photos de la mort en direct avec leur téléphone portable. D'autres filment la masse paniquée et des corps ensanglantés suffisamment longtemps pour remplir la carte mémoire de leur appareil.

Les photos des premiers et les vidéos des deuxièmes sont disponibles sur le Web en moins de deux. Ça leur permet d'emplir à nouveau les cartes mémoires d'hémoglobine, de canons pointés, de panique désarmée. Peut-être même qu'un des photographes-caméramans d'occasion pense à tout l'argent qu'il fera en vendant les images à CNN.

Bang! Bang!

Les journalistes arrivent sur les lieux du carnage en même temps que les autorités afin d'imbiber de rouge les téléjournaux et les unes du lendemain, unes qu'on tue rapidement.

Les archivistes de partout établissent un palmarès des tueries en milieu scolaire en les classant par nombre de décès.

Bang! Bang!

Alors que certains pleurent, tremblent, cherchent du réconfort, se tordent de douleur, feignent la mort ou meurent tout simplement, un étudiant sur le campus raconte en direct sur un blogue ce qui s'y passe. On ne sait comment ils ont pu en être avisés aussi vite, mais des centaines, voire des milliers d'internautes le lisent en temps réel et attendent la suite du feuilleton avec le même appétit que pour l'émission *Survivor*. Live and let die.

Les téléjournaux de la planète fracassent des records d'audimat avec leur nouvelle américaine.

On décrète que le tireur fou est le fruit d'une société malade, une société malheureusement sans frontières, atteinte d'un cancer profond. Avec autant de symptômes, force est d'admettre que le cancer est généralisé.

Je suis du lot et j'avoue que ma soif m'a légèrement dégoûté. Je suis aussi atteint.

Bang !

Graine de sésame

Au commencement, tu baveras, tu échapperas des sons et tu t'oublieras partout, car, au début, personne ne sait tout garder pour soi. On s'émerveillera pour tes yeux, ton pied qui entre dans ma bouche, tes poings fermés, prêts à te défendre. Puis tu marcheras, pataude. Tout d'abord vers moi, ensuite vers d'autres. Dans les plis de ton cerveau, tu enregistreras des mots que tu utiliseras d'abord approximativement. Dehors, tu observeras longuement les araignées et les flaques d'eau, et tu me raconteras, car j'ai oublié. Souvent, pendant ton sommeil, je t'observerai dans un bonheur inquiet. Plus tard, sans me le dire, tu apprendras des tables de multiplication, l'histoire de ton pays et des chansons idiotes. Je ferai semblant d'être fâché quand tu te rebelleras contre ton professeur. Tu parleras de tes amis comme si je les connaissais. Je dirai «C'est qui, Marie-machin?» et tu répondras, lasse, de laisser faire. Tout bas, tu te diras que je sais être con parfois. Tu auras un peu raison.

Puis tu ne voudras plus que je voie tes fesses et tu fermeras la porte de ta chambre en y accrochant une affiche «Interdit aux adultes». Je te jure de trouver ça idiot même si j'envierai ton royaume où les tracas me paraîtront bien menus. Tes bras, ton nez, tes oreilles pousseront trop vite, et tu auras des airs simiesques pendant quelque temps. Ta mère te trouvera encore belle. Moi, je n'en suis pas sûr. Entre deux chansons à la mode, je te raconterai mon histoire et tu bâilleras. Tu blanchiras mes cheveux en faisant la drôle avec tes amis. Tu me dépasseras d'une tête et te demanderas ce qu'on pouvait bien bouffer en 1969 pour engendrer des gens si rabougris. Tu seras effrontée comme un chat de ruelle, tu ne rentreras plus le soir. Tu aimeras à chair nue d'autres personnes et, les yeux gonflés, tu reviendras en claquant les portes. Alors, je mettrai ma paume dans ton dos avec hésitation, comme si j'avais peur de me brûler, et je flatterai en petits ronds inutiles. Tu panseras les plaies avec des sparadraps usagés et des bouts d'espoir un peu minces. Puis tu lâcheras les études et tu quitteras une maison devenue trop petite. J'attendrai alors de ne plus te voir au bout de la rue pour pleurer.

Un jour, j'irai chez toi. Je ne resterai pas longtemps, je le promets. Je t'observerai en douce et me reconnaîtrai dans des riens, dans le pli de ton front sous la concentration, dans cette façon de dire «comme de faite». Ce jour-là, en partant, je sourirai, je t'embrasserai plus longtemps que d'habitude, et tu auras hâte que se dénoue mon étreinte. Je supposerai que tu sauras bien à quel point je t'aime.

Voilà. J'en oublie sûrement des bouts. Tu me les raconteras.

Dans les livres, on dit qu'aujourd'hui tu es grosse comme une graine de sésame, et que bientôt ton cœur commencera à battre. C'est déjà beaucoup. Alors tout le reste peut bien attendre.

Constats à l'amiable

Un jour, on se rend compte qu'ils auront beau inventer 600 saveurs de tablettes de chocolat, la meilleure restera l'originale; que notre première voiture aussi rouillée et peu fiable qu'elle pût être restera celle dans laquelle on se sentait le plus libre; que les jeunes d'aujourd'hui se foutent de 1985 comme on se foutait de 1950; que parler comme un ado nous donne des airs d'attardés émotifs, qu'on fait des enfants pour nous remplacer, que courir jusqu'au dépanneur nous coupe le souffle bien avant d'y être rendu, qu'un étranger qui ne nous vouvoie pas est impoli, que l'arbre qu'on a planté prendra trente ans à nous faire de l'ombre et que, le jour où il nous en fera, on se souciera des dommages aux fondations de notre maison causés par les racines; que la fille moche du secondaire dont on a un jour repoussé les avances est devenue belle et riche et drôle, et fiancée et heureuse; que, dans les pubs de voitures de luxe pour vieux mon'onc's, ils font jouer des chansons de notre adolescence; que le bonheur rend beau alors qu'on a long-temps cru que la beauté rendait heureux; que le café empêche vraiment de dormir; que le petit nouveau du bureau pourrait être notre fils; que les filles qui nous regardaient ne nous voient plus et que celles qui ne nous voyaient pas nous regardent; qu'il y a des boutons sur la télécommande de la télé qu'on n'utilisera jamais; qu'assumer ses travers les rend sympathiques; qu'on a les mêmes manies que nos parents, même si elles nous ont tant tapé sur les nerfs; qu'on ronfle; que ce qu'on n'a jamais osé faire n'était pas si difficile que ça finalement; que, pour parler aux autres, il suffit de leur dire bonjour; qu'à notre âge les sportifs professionnels sont à la retraite ; que le film fétiche de nos vingt ans est franchement mauvais ; que confier un anneau vital pour toute l'humanité à un nabot ingénu aux pieds poilus est ridicule ; qu'on mourra sans avoir tout fait, tout vu, tout entendu ; que l'an 2000 était hier et hier, il y a cent ans ; que, si la vie avait un sens, on souhaiterait qu'elle n'en ait pas.

Un jour on se rend compte de tout cela et l'on sourit. Ce jour-là, on mérite une bonne bière fraîche.

Décompte et des chiffres

2/5/2006, 11 h 30, aile A, n° 732 : 2.

2 cm d'ouverture, 40 % effacement, perfusions, 60 ml/heure, contractions aux 4 minutes. Douleur à 3/10. 1 h. Puis 2 h. 3 cm. 6/10. 3 h. 9/10. 4 h. 10/10. 3 cm. 16 h. Aux 2 minutes 30. Toujours 3 cm. Un souffle, l'autre souffre. On ne veut plus compter, on ne veut plus jouer. Mais l'aiguille tourne. 10/10 revient. 11/10 si ça se peut. 19 h. Aiguille épidurale. T12, L1, insertion. 20 h. On revient à 1/10. 21 h. Décompte des moutons. 7e ciel. 22 h. On s'en fout toujours. 32. Zzzzz. 23 h 30. Médecin qui compte manger du poulet passe. Check point. Tête à 2 cm. Le quart sera froid. 23 h 50. Poussée. 72 ml/heure.

3/5/2006, minuit 8, aile A, n° 732 : 3.

7 livres 14 onces, 20 pouces, premier souffle, puis deuxième, puis troisième…

Cette nuit-là, on a tout compté. Sauf la magie.

Entre les deux phares

Petit, sur la banquette arrière de la Plymouth Valiant bleu ciel de mon père, je passais tous les trajets à genoux à regarder le chemin parcouru se défiler. Je pouvais faire tout le chemin jusque chez mes grands-parents sans jeter un seul coup d'œil devant, à me laisser surprendre par la force centrifuge des virages, les freinages soudains et les accélérations impromptues. Je tentais de deviner ce qu'il y avait d'écrit sur les panneaux de signalisation que je ne voyais que de dos, je comptais les poteaux et, quand on croisait une Volkswagen, je donnais un coup de poing à mon frère en criant « pinotte ».

Ces petits passe-temps anodins cachaient cependant une occupation plus importante : ne pas se laisser dépasser par une autre voiture, une voiture qu'on avait laissée derrière en partant à l'aube, en douce, en faisant tout juste crisser le gravier. Quand arrivait une de ces voitures roulant plus vite que nous, je m'appuyais sur le dessus de mon dossier, je la visais soigneusement du doigt, un œil fermé et, quand elle était assez près, alors qu'elle s'apprêtait à nous doubler, bang! dans un pneu, bang! dans le pare-brise, bang! dans le radiateur.

Mon père me souriait dans le rétroviseur, cigarette au bec. C'était l'époque où la fumée secondaire ne tuait personne, où seuls les peureux s'attachaient à l'arrière des voitures, où les seuls démons du passé qui pouvaient me rattraper conduisaient une Trans-Am dont je m'appliquais à bousiller le radiateur à coups de revolver.

Aujourd'hui, j'ai le volant et je m'applique à éviter les nids-de-poule pour le confort de ma copine et la sécurité de ma fille. Pour l'instant, dans le rétroviseur, mon enfant ne fait que gazouiller, mais bientôt elle parlera, elle marchera, elle aura à tirer ses propres démons surgis du passé.

D'ici là, je lui promets de conduire comme un pro et assez vite pour ne pas être rattrapé par quoi que ce soit. Mais un jour quelque chose la rejoindra. Ce jour-là, je lui montrerai où viser, juste là, sous le sigle de la voiture, entre les deux phares. Ce sera à elle de fermer l'œil, de retenir sa respiration et d'appuyer sur la gâchette. Ce jour-là, je soufflerai dans le canon avec la satisfaction qu'apporte un mandat bien rempli.

Les gardiens de la paix publique

Ça marchait fort en haut. Ça s'engueulait un peu aussi. De plus en plus, en fait. La petite s'est réveillée en pleurant.

— Papa, i'a du b'uit!

Faisait chier. Comment ils faisaient, dans le temps, avec leurs familles de douze entassés dans des six et demi, pièces doubles? L'insonorisation ne devait pas être mieux qu'aujourd'hui. À moins qu'ils vivaient en noir et blanc, muets comme un film de Chaplin.

Ce n'était pourtant pas dans les habitudes de ces voisins-là. Ceux du dessous, oui, avec leur cuite du chèque mensuel. Celui d'à côté aussi, avec ses moult conquêtes alcoolisées de trois heures du matin. Mais ceux du dessus? On ne les voyait ni ne les entendait jamais. Des fantômes.

J'ai consolé la petite, lui ai expliqué que les voisins discutaient, qu'ils se tairaient bientôt. Mais ils me faisaient mentir et ne la fermaient pas. Surtout elle. Et quand les talons, comme les portes, se sont mis à claquer plus fort, je suis monté en me rappelant de surtout garder mon calme, rester poli...

— C'est quoi le problème? m'a servi comme entrée en matière la petite bonne femme d'en haut en ouvrant la porte. Vingt-deux ans, au plus 40 kilogrammes, peignoir léger, cheveux en bataille. Dix dollars sur une engueulade d'après-baise. Certains faisaient l'amour après une empoignade, d'autres faisaient le contraire. D'une manière ou l'autre, l'objectif inconscient vise à rééquilibrer les choses.

— C'est que... hum... On vous entend en bas. Ça a... hum... réveillé la petite.

— Il est même pas huit heures et demie, faque...

— C'est que... hum... 20 h 30, c'est une heure normale de dodo pour une enfant de trois ans.

— La loi dit que je peux faire du bruit jusqu'à onze heures.

— Je... hum... j'voudrais pas faire mon chiant, mais c'est faux : la loi dit que des cris, ça dérange, peu importe l'heure.

— Je criais pas.

— D'accord, vous ne criiez pas. Disons plutôt que... hum... vous traitiez votre copain de « méchant-cave-fini-à-bitte molle » pas mal fort, au point où la petite m'a demandé ce que ça signifie. Alors, je voulais juste vous demander de...

— J'ai deux trucs à vous dire, voisin : *primero*, je n'ai pas de copain ; *deuxio*, je suis seule en ce moment et, *tertio*, je fais ce que je veux, je suis chez moi.

Bien ma chance. En plus de ne pas savoir compter, ma voisine fantôme se jouait des scènes de théâtre en solo et avait pour devise : *Je vis et laissez-moi vivre*. Après, on se demande pourquoi les banlieues débordent.

— Je voulais seulement vous demander de faire un peu moins de bruit, c'est tout...

— Pas de ma faute si les murs sont en carton.

Sur ce message de paix publique, elle a claqué la porte. Je suis redescendu, dubitatif sur la suite des événements.

Mais, contrairement à ce que je croyais, ma comédienne en répétition n'a plus fait de bruit, du moins jusqu'à ce que je vois une voiture de police se garer devant chez moi, une demi-heure plus tard.

Les deux policiers, baraqués comme dans une publicité de gym de quartiers populaires, sont allés sonner chez ma comédienne du dessus. Quelqu'un d'autre avait dû se plaindre du bruit. Je me sentais un peu moins seul.

Quelques minutes plus tard, j'ai entendu les pas bottés des policiers redescendre l'escalier. Au même moment, la voisine a donné quelques coups de talons à mon plafond. C'est quand j'ai entendu les policiers frapper à ma porte que j'ai compris que ce petit rythme percussif se voulait moqueur.

En apercevant leur faciès avenant de tueurs de chats, je savais que les bonnes nouvelles étaient pour un autre jour.

— On peut entrer? m'a demandé le plus costaud.

Avant même que j'aie eu le temps d'acquiescer à leur demande, ils sont entrés. Leur discrétion toute militaire jusqu'à la cuisine a eu tôt fait de réveiller la petite à nouveau, cette fois curieuse de toute cette activité inhabituelle.

Lorsque je les ai rejoints, aucun des deux gentils gardiens de la paix publique n'a eu ne serait-ce qu'un regard pour la petite. Il y a eu quelques secondes de silence durant lesquelles je me suis demandé s'il était opportun de leur offrir une bière. Puis un des policiers, celui qui scrutait les diverses factures qui tapissaient mon frigo, s'est tourné vers moi, d'un bloc, comme si tout, au nord de sa ceinture, était soudé. Même ses yeux semblaient vissés dans leur orbite, ce qui l'obligeait à tourner tout le haut du corps chaque fois qu'il regardait dans une nouvelle direction, un peu à la manière d'un accidenté de la route. Il m'a regardé sans gentillesse, avant de briser le silence.

— Vous savez sans doute ce qui nous amène ici.

Il détachait ses syllabes comme une sorte de Terminator de marché aux puces. J'ai préféré opiner de la tête de peur de me mettre à rire si j'ouvrais la bouche. Ma bonne humeur s'est toutefois vite estompée.

— On a reçu une plainte contre vous. La dame d'en haut nous a appelés ce soir...

— ... à 20 h 35..., a précisé le second clown.

Le premier a continué comme si cette alternance de prise de parole était normale.

— ... pour rapporter que son voisin...

— ... vous...

C'était qui, ces drôles?

— ... se mêlait de sa vie privée en écoutant au travers de sa porte...

— ... et en l'espionnant de derrière les rideaux.

Et toc. J'étais stupéfait. Non seulement j'avais affaire à une voisine folle, mais les deux hurluberlus devant moi semblaient sortir de la même boîte de céréales. J'ai senti le besoin de me défendre, moi qui pensais candidement qu'ils venaient me défendre.

— Je ne l'espionnais pas, je suis allée l'avertir qu'elle faisait un boucan d'enfer alors que la petite dormait.

Les policiers ont regardé la petite qui les épiait par en dessous, intriguée par ces deux *monozigotos*. Comment lui en vouloir...?

— C'est que cette petite... a entrepris le premier clown.

— ... ne semble pas dormir, a fini le second.

J'étais dans un mauvais rêve. J'allais me réveiller et rigoler de toute cette histoire. J'ai attendu quelques secondes sans que rien ne se passe. Il fallait que je me rende à l'évidence : je nageais en pleine réalité.

— Bien sûr qu'elle ne dort pas, ai-je fini par ajouter. La voisine faisait du bruit et vous êtes rentrés avec vos bottes et tout.

Comme des nageuses synchronisées, les deux représentants de la loi ont regardé leurs bottes et ont plissé légèrement les yeux. Visiblement, ils prenaient l'explication comme une accusation.

— Écoutez. La voisine faisait du bruit, je suis allé l'en avertir. Point à la ligne. C'est pas de l'espionnage, c'est une question de bon voisinage.

Celui qui avait l'air le plus taré des deux a levé une main énorme pour me couper la parole.

— Monsieur, quand cela arrive…

— … il faut appeler la police.

— En attendant, quelqu'un a porté plainte contre vous…

— … on doit intervenir.

Tout cela durait déjà depuis trop longtemps.

— Supposons que la fo… la femme d'en haut ait raison, qu'allez-vous faire ?

— Alors vous reconnaissez l'espionner ?

Woooo, le terrain était plus glissant que je ne le pensais.

— Non ! Je n'ai espionné personne. J'ai d'autres chats à fouetter que de glisser le regard entre les rideaux de la dame d'en haut.

Les policiers se sont regardés en souriant en coin. Ils s'amusaient de la situation, les bougres.

— En fait, elle nous a plutôt déclaré que vous…

— … écoutiez à votre plafond puis alliez lui répéter…

— … ce que vous aviez entendu.

Pas à dire, elle était douée, la comédienne.

— De toute manière, ont continué les longs bras de la loi,…

— … on voulait seulement vous avertir.

— Vous avez l'air d'un type bien…

— … nous imaginons que vous allez savoir quoi faire.

Je l'ignorais, en vérité, mais ils pouvaient être certains qu'il y aurait une suite.

— Alors, merci bien Messieurs, ai-je dit en leur montrant le chemin vers la sortie. Soyez assurés que j'ai bien retenu la leçon.

Sur le pas de la porte, dans un élan de camaraderie auquel je ne pouvais m'attendre, le plus affecté des deux a lancé à la blague :

— En tout cas, on peut comprendre que vous soyez tenté de l'espionner...

Le second de rire en ajoutant :

— ... avec son petit déshabillé, plusieurs ne pourraient s'en empêcher !

Et ils sont partis, en se bidonnant tranquillement.

Après avoir recouché la petite, j'ai longuement valsé entre une contre-attaque ou l'abandon d'une guerre qui s'éterniserait à coup sûr.

Mais, comme ma fille partait avec sa mère pour les deux semaines suivantes et que ma charge de travail au bureau n'était pas très contraignante, je me suis dit que j'essaierais de revoir mes deux nouveaux amis le plus tôt possible.

Vide

Depuis quelque temps, il s'égoutte, le moral au plancher. Mais plus pour longtemps, car son regard est vide et ses veines le sont tout autant.

Pareil

Comme dans le temps, j'y suis allé pour rien, sans rendez-vous, pour voir, pour tâter le pouls de la vie qui bat. Ma dernière visite devait remonter à quelques mois, voire deux ou trois ans. Pourtant, la bouteille a fait le même poc! sur la pierre qui recouvre le bar, le sourire des barmans était pareil, même la musique, Dumas, Dido, Muse, était pareille. Le calendrier aurait indiqué 2004 que tout aurait été tel quel.

Les mêmes piliers qu'avant, certains plus minces, d'autres en version plus large, tous en plus gris. Toujours les mêmes personnalités, les mêmes discussions, les mêmes enjeux. Les mêmes belles filles, les mêmes rêves, les mêmes blagues. Entre les clients, le barman m'a parlé de tout et de rien, beaucoup de rien.

Le reste du temps, j'observais cette île à l'abri du temps qui passe. Une île qui inquiète parfois mais qui rassure, qui me rassure, souvent.

Le monde peut lentement s'écrouler. Il reste un bunker.

L'aménité

Une des plus grandes maîtrises de l'humanité restera le langage. Parlez-en à n'importe quel parent : après des mois de devinettes et spéculations sur la source des pleurs de son enfant, le jour où celui-ci répond à la question : il est où le bobo ? il n'y a pas à dire, ça libère.

Mais avec le langage vient d'autres acquis nécessaires qui ne se font malheureusement pas au même moment, et je cite : la civilité.

Je redoutais depuis quelque temps une remarque du genre « Regarde le monsieur : il est LAID ! », ce qui ne manquerait pas de m'arriver. Puis un jour, à l'épicerie, alors que j'hésitais tranquillement entre le crémeux et le croquant, mon lézard pointe une dame tout près et lance :

— Papa ? Regarde la dame : elle est GROSSE !

Mes neurones de survie se mettent à pédaler mais, paresseux, comme des cons, ils me disent « Va-t-en ! » Docile, j'obéis, je m'en vais. C'était sans compter sur l'insistance de ma fille qui me crie :

— Papa ! REGARDE ! Elle est TROP GROSSE !

(on travaillera la distinction du « très » et du « trop » un autre jour)

J'ai laissé tomber le projet d'épicerie. On s'est fait venir du poulet toute cette semaine-là.

J'ai été des jours à craindre le pire et à éviter les gros, les laids, les barbus, les musclés, les gros seins, les petits seins, les vieux… Bref, je ne suis sorti de la maison avec la petite qu'en cas d'extrême nécessité. Et un jour, inévitablement, mes craintes se sont dissipées…

On se promenait, tranquille, et, alors que je n'avais rien fait à personne, on croise une dame. Mais quelle dame! Une grosse femme noire drapée de tissus jaune serin et coiffée d'une énorme bande de tissus orange qui lui monte jusqu'à trente centimètres au-dessus de la tête. On aurait dit le soleil lui-même qui marchait vers nous. La petite m'a regardé, tout sourire, et a tendu le doigt vers la dame…

— Regarde papa!!

J'ai murmuré «Non non non non noooonnnnnnn…»

— PAPA! REGARDE!!

Vite! Une distraction… J'ai regardé autour, mais, trop tard, la petite poursuivait:

— Regarde la dame: une PRINCESSE!

Il fallait voir les dents blanches de la dame briller dans son visage d'ébène!

Quand je vous dis que le langage est une de plus belles maîtrises de l'humain.

Je peux dormir

Il est une heure du matin. Premiers marmonnements dans son sommeil. Je lui caresse les joues, le front, les cheveux. Je suis là, elle peut dormir.

Il est 10 h. Soudaines sueurs fiévreuses. Je lui caresse les joues, le front, les cheveux. Je suis là, elle peut dormir.

Il est 17 h. Énième peine d'amour. Je lui caresse les joues, le front, les cheveux. Je suis là, elle peut dormir.

Il est minuit. Dernières palpitations dans un lit d'hôpital. Elle me caresse les joues, le front, les cheveux. Elle est là, je peux dormir.

Serpillière

Sous un masque de plastique, entre des lèvres molles, sèches, émaciées, l'air passe au lent rythme de marées de plus en plus basses. Avec chaque expiration s'envole un peu d'existence, et déjà les proches ne reconnaissent plus celle qu'ils ont un jour aimée. Ils viennent tout de même, ils restent et écoutent en silence la mort qui aboie.

Dans le corridor, une serpillière essuie les traces de pas que laisse la vie qui passe.

Salut salaud

Ça a faisait quatre ou cinq fois que tu passais pour jauger les lieux quand tu as arrêté ta voiture sur le point le plus haut du pont Champlain. On a tous déjà rêvé de faire ça un jour, pour la vue, pour le panorama. Mais tu te foutais bien du *skyline* de Montréal.

Tu avais en masse eu le temps de penser à tes enfants, à ta femme, à ta mère, à tes sœurs et frères, à tes amis, à tout le monde. Ou peut-être pas. Salopard. J'ignore comment le cerveau fonctionne dans ces moments-là.

Tu as mis la transmission sur *park*. Les voitures derrière toi ont dû klaxonner. Tu es sorti de la tienne comme un lâche, un criss de lâche. Tu ne pensais à rien, à rien, surtout à rien. Tu te le répétais sans doute. À rienrienrienrien. Il te fallait bloquer tout souvenir, toute réflexion pour y parvenir. Tu y es parvenu. Connard.

Tu as enjambé le parapet. Pile poil au-dessus de la voie maritime. Tu avais vu juste. Sous ton regard, 120 pieds de vide. Presque 40 mètres. Assez pour que l'eau devienne du ciment. Cent vingt pieds d'un vide que tu connaissais trop bien. Cent vingt pieds qui auraient dû te faire changer d'idée. Quelqu'un a dû crier de sa voiture, peut-être même qu'il courait derrière toi pour te retenir. Tu as quand même sauté. Tu es vraiment un salaud. Un hostie de salaud.

Tu as sûrement revu quelques secondes de vie, quelques visages aussi. Cent vingt pieds, ça laisse du temps pour voir des choses. À quoi as-tu pensé quand tu as revu le visage de tes enfants ? Y a-t-il eu un moment où tu as regretté d'avoir sauté ?

Pourquoi tu n'as pas appelé, foutu idiot?

La police a dit que, cinq minutes plus tard, tu tombais sur un navire de marchandises. Mais tu étais cinq minutes plus tôt, et ton corps est disparu dans l'eau froide d'avril. Les autorités ont mis près d'une heure à te repêcher. De quoi glacer le peu de sang qui circulait dans tes veines d'abruti. Puis ils t'ont amené à l'hôpital le plus près. Tu respirais encore, bougre d'imbécile.

La police, muette, est allée chercher ta femme à son bureau. Les cons, incapables d'allumer les gyrophares pour elle, ils l'ont foutue dans un taxi. Elle nous a appelés en pleurs d'une banquette recouverte de cuirette. Elle nous a dit ce qu'elle savait. Comme elle ne savait à peu près rien, on a imaginé le pire. Je t'ai maudit pendant que ma copine pleurait son mascara sur mon épaule tout le long du trajet sur le pont Jacques-Cartier, là où ils ont posé des barrières anti-suicide-de-connards-comme-toi. Tu n'as pas idée combien j'étais fâché contre toi. Enfin, j'imagine que tu commences à en avoir une petite.

Rendus à l'hôpital, on a appris que tu étais un miraculé, que tu ne souffrais que de quelques contusions. Le genre de truc d'une chance sur un million, peut-être moins. Une chance de salaud. Le vide t'avait recraché vers nous. Personne ne pouvait expliquer le comment du pourquoi, mais tu étais là, faible, les yeux clos, mais capable d'aligner des mots. Dans le corridor, ça pleurait, ça jouait avec la monnaie au fond de ses poches, ça inventait plein de paroles débiles de réconfort. Ça inventait surtout les mensonges qu'il faudrait dorénavant dire à tes enfants pour le reste de leur vie.

Je suis entré te voir. Tu étais tout petit, tu n'étais presque rien, tu avais survécu à un enfer que tu avais tristement provoqué.

J'ai posé ma main glacée sur ta main de connard, étonnamment chaude. Je t'ai dit que, forcément, tu étais fait plus fort que tu ne le croyais. Puis, je t'ai dit que je t'aimais.

Table des matières

Ces corps qui flottent facilement	11
La faille	12
Le roi se meurt	14
Mémoire fragmentée	22
Duel sur l'autoroute	23
Un mercredi midi à la taverne du coin	25
Dans l'œil	27
Monstres	29
Prêt à emporter	31
Petits coups sur la ligne	32
Isolement	34
Amitiés, amours et autres mécaniques	35
À qui appartiennent les mots ?	36
Aubaines	38
Mince	39
Nord perdu	43
Lisse	48
L'antichambre	49
Les distances oubliées	52
Le lit japonais	53
Mon globe terrestre	55
Gagner du temps	56
Soir de mégot	57
Signes des temps morts	59
Faillite	60
Enfin	62

Puissance et liberté 63

Les vraies choses 65

Autour du bonheur 66

Carnet de doute 67

Magie noire 70

Bout de quai 71

Il y a des matins 73

Idylle sous éthyle 75

Monsieur Tout-le-Monde 76

En cette première journée de l'été des Indiens,
  comment trouver la vie moche? 78

Accent grave 79

Delete 83

Money for Nothing and Canal for Free 84

Poursuite 86

Ti-Gus 87

La lenteur 89

Le fil 90

La promesse des rails 92

La chair à canon d'antan 93

Le manteau écarlate 94

L'assurance du doute 96

Anticipation 98

Déjà un trou 100

Loft-moi 101

Tout seul sur les pubs 104

Jean-Pierre parle finnois 106

Mstislav 107

J'aurais aimé mourir de vieillesse 113

Blues 114

La bulle de Nitro 116
Souvenir 117
Parasites 118
Microbes 120
Semblant, ensemble 122
Henri 123
L'économie virtuelle 124
La paix d'Yvon 125
Fast food 127
Loser 128
Les beaux plafonds 131
Clairs-obscurs 138
Histoire érotique sous le réverbère 141
Layla en périphérie d'Hollywood 143
Malaises 146
Don Pedro 147
Ces temps qui parlent 154
Somnifères 157
Alice au pays des miroirs 162
L'être et le néant 163
Apéro 164
Bruges en automne 165
Rendez-vous 166
Le creux des mains 168
Absence 170
La vie est un long matin… 173
En retard 174
Tirer la ligne 176
Le temps que l'on se donne 178
Ces corps qui ne flottent pas 179

Bang!	180
Graine de sésame	182
Constats à l'amiable	184
Décompte et des chiffres	186
Entre les deux phares	187
Les gardiens de la paix publique	189
Vide	195
Pareil	196
L'aménité	197
Je peux dormir	199
Serpillière	200
Salut salaud	201

Dans la même collection

Passion Japon
Valérie Harvey, 2010

Les Chroniques d'une mère indigne 2
Caroline Allard, 2009

Un taxi la nuit T-II
Pierre-Léon Lalonde, 2009

Lucie le chien
Sophie Bienvenu, 2007

Les Chroniques d'une mère indigne
Caroline Allard, 2007

Un taxi la nuit
Pierre-Léon Lalonde, 2007

Pour effectuer une recherche libre par mot-clé à l'intérieur de cet ouvrage,
rendez-vous sur notre site Internet au www.septentrion.qc.ca

Tous les livres de la collection Hamac sont imprimés sur du
papier recyclé, traité sans chlore et contenant 100 % de fibres
postconsommation, selon les recommandations d'ÉcoInitiatives
(www.ecoinitiatives.ca).
En respectant les forêts, le Septentrion espère qu'il restera
toujours assez d'arbres sur terre pour accrocher des hamacs.

**PROTÉGEONS
NOS FORÊTS**

CET OUVRAGE EST COMPOSÉ EN WARNOCK CORPS 10
SELON UNE MAQUETTE RÉALISÉE PAR PIERRE-LOUIS CAUCHON
ET ACHEVÉ D'IMPRIMER EN FÉVRIER 2010
SUR PAPIER ENVIRO 100 % RECYCLÉ
SUR LES PRESSES DE L'IMPRIMERIE MARQUIS
À CAP-SAINT-IGNACE
POUR LE COMPTE DE GILLES HERMAN
ÉDITEUR À L'ENSEIGNE DU SEPTENTRION